Iníciate en
TABLETS
e Internet

Daniel Manero Bernao

* iPad
* Android
* Entorno de aplicaciones
* **Aplicaciones recomendadas**
* Trucos para tu Tablet
* **Windows 8**
* Internet y redes sociales

Explicaciones
sencillas
paso a paso

 Alfaomega

 **Altaria**
publicaciones

Datos catalográficos

Manero, Daniel
Iníciate en *Tablets* e Internet
Primera Edición

Alfaomega Grupo Editor, S.A. de C.V., México

ISBN: 978-607-707-581-3

Formato: 17 x 23 cm   Páginas: 204

Iníciate en *Tablets* e Internet
Daniel Manero Bernao
ISBN: 978-84-940092-2-8 edición original publicada por Publicaciones Altaria S.L., Tarragona, España
Derechos reservados © PUBLICACIONES ALTARIA, S.L.

Primera edición: Alfaomega Grupo Editor, México, febrero 2013
Octava reimpresión: Alfaomega Grupo Editor, México, enero 2014

© 2013 Alfaomega Grupo Editor, S.A. de C.V.
Pitágoras 1139, Col. Del Valle, 03100, México D.F.

Miembro de la Cámara Nacional de la Industria Editorial Mexicana
Registro No. 2317

Pág. Web: **http://www.alfaomega.com.mx**
E-mail: **atencionalcliente@alfaomega.com.mx**

ISBN: 978-607-707-581-3

Derechos reservados:

Nota importante:
La información contenida en esta obra tiene un fin exclusivamente didáctico y, por lo tanto, no está previsto su aprovechamiento a nivel profesional o industrial. Las indicaciones técnicas y programas incluidos, han sido elaborados con gran cuidado por el autor y reproducidos bajo estrictas normas de control. ALFAOMEGA GRUPO EDITOR, S.A. de C.V. no será jurídicamente responsable por: errores u omisiones; daños y perjuicios que se pudieran atribuir al uso de la información comprendida en este libro, ni por la utilización indebida que pudiera dársele.

Edición autorizada para venta en México y todo el continente americano.

Impreso en México. Printed in Mexico.

Empresas del grupo:

México: Alfaomega Grupo Editor, S.A. de C.V. – Pitágoras 1139, Col. Del Valle, México, D.F. – C.P. 03100.
Tel.: (52-55) 5575-5022 – Fax: (52-55) 5575-2420 / 2490. Sin costo: 01-800-020-4396
E-mail: atencionalcliente@alfaomega.com.mx

Colombia: Alfaomega Colombiana S.A. – Carrera 15 No. 64 A 29, Bogotá, Colombia,
Tel.: (57-1) 2100122 – Fax: (57-1) 6068648 – E-mail: cliente@alfaomega.com.co

Chile: Alfaomega Grupo Editor, S.A. – General del Canto 370, Providencia, Santiago, Chile
Tel.: (56-2) 947-9351 – Fax: (56-2) 235-5786 – E-mail: agechile@alfaomega.cl

Argentina: Alfaomega Grupo Editor Argentino, S.A. – Paraguay 1307 P.B. Of. 11, C.P. 1057, Buenos Aires, Argentina, – Tel./Fax: (54-11) 4811-0887 y 4811 7183 – E-mail: ventas@alfaomegaeditor.com.ar

Para mis abuelos, Antonio y Elvira,
lucha infinita.

Índice general

¿A quién va dirigido este libro?

Este libro está recomendado a:

- Todas aquellas personas que simplemente quieren informarse bien sobre *Tablets*.

- A los que están empezando con un dispositivo *Tablet*.

- A aquellas personas que están pensando en una futura compra.

- A los que ya tienen uno, pero quieren progresar y sacarle más provecho.

Deja que este libro te lleve de la mano hasta que seas un experto en el mundo *Tablet* y sus aplicaciones.

Además, los capítulos específicos de cada tipo de *Tablet* te ayudarán a encontrar el que más se ajusta a tus necesidades.

Convenciones generales

El contenido del libro procura ser lo más didáctico posible para que el lector pueda realizar pruebas con su sistema a la vez que progresa en la lectura.

El objetivo es que sea un manual sencillo de seguir, de manera que sirva también como herramienta en el trabajo de centros de formación, tanto de alumno como de profesor.

Es un libro divertido y de fácil lectura que te ayudará a entender mejor cómo funcionan los dispositivos *Tablets* y el entorno de las aplicaciones.

No sólo serás capaz de identificar los diferentes tipos de *Tablets*, sino que aprenderás trucos para su manejo.

Entenderás cómo funcionan las aplicaciones, para qué sirven y cuáles debes descargar.

No uses tu *Tablet* sólo para navegar por Internet. Sácale mucho más partido a través de las Apps.

El libro contiene una descripción exhaustiva de los principales *Tablets* del mercado que te permitirá avanzar muy rápidamente con una base solida y efectiva.

En el capítulo sobre Internet tendrás una descripción extremadamente comprensible de cómo funciona y qué te puede ofrecer la red de redes. Llegarás a dominar las redes sociales, el correo electrónico y aplicaciones como Skype.

¡Es el momento de no quedarse atrás!

¡No te asustes!
Es un *Tablet*

Capítulo 1

¡No te asustes! Es un *Tablet*

Es muy posible que si has decidido ponerte frente a estas páginas ya seas poseedor de un maravilloso dispositivo *Tablet*. Puede que sólo trates de conocer un poco mejor qué son y cómo funcionan para después evaluar su compra. En cualquiera de los casos, es un hecho que los *Tablets* están aquí y han llegado para quedarse, así que conocer un poco mejor a estos nuevos amigos y sus costumbres te ayudará a integrarlos con mayor facilidad en tu vida diaria.

Con la mejor intención del mundo te han regalado uno en Navidad o quizá para tu cumpleaños. Ahora te toca a ti aprender a sacarle el máximo partido y evitar que se convierta en un elemento decorativo más sobre tu mesilla de noche, entrando un poco, aunque sea sólo un poco, en el apasionante mundo de Internet y las aplicaciones.

En este libro trataremos de explicar de manera sencilla y efectiva, sin entrar en tecnicismos, cómo surge el fenómeno *Tablet*, cuáles son sus elementos principales y cómo conseguir el dominio de estos dispositivos. Tras la lectura, serás capaz de llevar a cabo casi todo lo que siempre has querido conseguir y, además, lo harás de manera intuitiva.

De momento, vamos a tratar de responder a una pregunta sencilla, pero no por ello menos importante: "¿Qué es un *Tablet*? Lo tengo delante, pero no tengo ni idea de lo que es en realidad". Para responderla y complicar un poco todo, porque al fin y al cabo este libro debe tener más de diez páginas, vamos a enumerar las cosas que un *Tablet* no es. ¿Es un *Tablet* un ordenador? La respuesta es no. ¿Es un *Tablet* un móvil grande? Yo diría que no. ¿Es un *Tablet* un aparato para acceder a Internet tumbado en la cama? Tampoco, ni mucho menos.

Los *Tablets* suponen un concepto nuevo en el mundo de los ordenadores e Internet. Un concepto nuevo y disruptivo que va a cambiar la forma en que entendemos la informática. Está ocurriendo y, aunque no te dés cuenta, dentro de no demasiado serán los dispositivos informáticos más comunes tanto en casa como en las oficinas. Estarán por todas partes, así que no pierdas tiempo, ¡sigue leyendo!

Como todo nuevo concepto, no resulta fácil explicarlo de manera sencilla. Cuando pienses en un *Tablet*, piensa en un miniordenador. Aunque también puedes pensar en un maximóvil, pero como te dije antes, un *Tablet* no es íntegramente ni un móvil ni un ordenador. Los *Tablets* tratan de combinar lo mejor de ambos mundos para ofrecer un dispositivo sencillo de usar, fácil de dominar, manejable en tamaño, transportable y suficientemente potente.

Un *Tablet* tiene todos los componentes principales que tiene un ordenador, esto es: procesador, memoria y disco duro. Sin embargo, para hacer que sean transportables, ligeros y con un tamaño más reducido que un ordenador, estos componentes también están, en cierta medida, reducidos. No tendremos un procesador tan potente como el de un ordenador, tanta memoria como puedes tener en un sobremesa ni tanta capacidad de disco duro.

Cuanto mayor sea la potencia de procesador, memoria o disco duro, normalmente mayor espacio ocupará dentro de tu ordenador o *Tablet*, siendo por tanto más grande y menos manejable. Estos componentes son lo que los entendidos llaman *hardware,* o lo que es lo mismo, la parte física de tu *Tablet*.

El concepto *Tablet* no es el de tener un dispositivo tan equipado como para soportar aplicaciones informáticas complejas que necesiten mucha memoria o disco duro. El concepto *Tablet* se basa en tener un dispositivo cómodo para las tareas más usuales y sencillas que realizamos con nuestro ordenador.

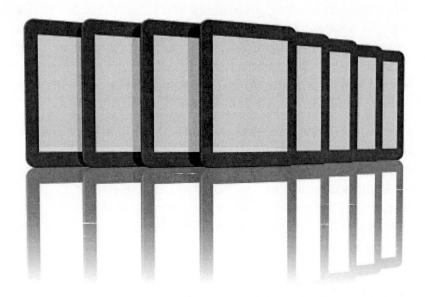

Figura 1

Por otro lado, los *Tablets* también toman características de los móviles. Una de las más importantes es la forma de interactuar con nuestro aparato. La amplia adopción de pantallas táctiles en el mundo del móvil hace que la forma natural de interactuar con un *Tablet* sea pulsar directamente con nuestros dedos en la pantalla, dejando de lado botones, ratones y demás accesorios.

Además, el sistema operativo de un *Tablet* viene dado por la evolución directa de los sistemas operativos que usan nuestros *smartphones*. Por eso, los nombres como *Android*, *iOS* de *iPhone* o *Windows* Mobile te son tan familiares. Los teléfonos que usamos ya llevan tiempo empleando dichos sistemas operativos. Esto es lo que los mismos entendidos de antes llaman *software*, la parte de tu *Tablet* que no se ve y que controla la forma en que los componentes físicos interactúan.

La excepción de lo anteriormente explicado es el *Tablet* de Amazon, modelo *Kindle Fire*. Este *Tablet* es un híbrido entre los dispositivos de lectura electrónica de Amazon llamados Amazon *Kindle* y los sistemas operativos de los móviles *Android*.

Figura 2

Es un dispositivo más potente que un simple lector de libros electrónicos, ya que contiene una versión a medida del sistema operativo *Android*
para *Tablets*. Este *Tablet* mantiene el soporte de los formatos de eBook de
Amazon y busca entre los poseedores de lectores de libro electrónico a
su público objetivo.

He repetido varias veces la idea de sistema operativo y no estoy seguro
de si tienes claro lo que significa, así que te lo explico fácilmente: el sistema operativo es un intérprete entre los recursos de tu *Tablet* y tú mismo.

Antes de que cierres el libro, déjame que te explique: hemos dicho que
tu *Tablet* tiene *hardware*, es decir, procesador, memoria y disco duro, pero
también tiene una parte de *software*. El sistema operativo es como un tra-
ductor nativo entre los componentes del *Tablet* y lo que tú ordenas hacer.
Además, pone orden en la parte concerniente al *software*, estableciendo las
reglas para que las aplicaciones puedan hacer o no ciertas aplicaciones,
entre ellas la forma en que interactúan contigo.

Cuando pulsas en la pantalla de un *Tablet* y provocas que se abran y
cierren elementos, cuando arrastras iconos por tu pantalla para borrarlos
o cuando mueves tu dedo a derecha o izquierda ejecutando algún juego,
es tu sistema operativo el que está traduciendo a tu *Tablet* lo que quieres
hacer, dándole la orden oportuna al procesador, que a su vez hablará
con la memoria y el disco duro.

Cuando pulsas el botón de encendido o el de volumen, es tu sistema operativo el que traduce tus gestos sobre los botones, dando una orden al procesador, que a su vez se la enviará al altavoz, diciéndole en su lenguaje "Bajar el volumen, por favor".

La próxima vez que pulses durante unos segundos un icono de tu pantalla para borrarlo, entenderás que tu sistema operativo sabe que "apretar icono más de dos segundos» significa que quieres borrar el icono de la pantalla, por lo que dará la orden oportuna al procesador, memoria y disco duro de tu *Tablet* para que elimine el icono.

Además es responsable del aspecto y de la forma en que interactúas con tu *Tablet*. En algunos casos mediante iconos cuadrados que pueden ser arrastrados a un lado y a otro. En otros casos, mediante pantallas llenas de iconos rectangulares. *Windows*, por ejemplo, es un sistema operativo para ordenadores personales. *Windows* hace que mediante ventanas sencillas y una flecha que se mueve podamos controlar la impresora, escribir documentos o mandar emails sin tener que aprender el lenguaje de programación de una impresora o tener que entender los complejos protocolos que permiten a los ordenadores hablarse entre ellos para cambiarse emails.

Algunos sistemas operativos entienden que pulsar dos veces un icono es abrir, otros que pulsar dos veces un icono es borrar. La forma en que interactuamos con el *Tablet* viene dada por la traducción que hace nuestro sistema operativo de nuestras acciones. Si quieres aprovechar ahora para hacer algunas llamadas y explicar a tus amigos no iniciados lo que es un sistema operativo, éste es el mejor momento. Te espero.

Por último, pero no menos importante, tenemos que mencionar que la mayoría de *Tablets* heredan directamente otra característica esencial de los *smartphones*: el entorno de aplicaciones. Aunque luego te lo voy a explicar en su integridad, te estoy hablando de esos iconos que ves en la pantalla de tu *Tablet*. Cada icono representa una aplicación o miniprograma que sirve para alguna acción muy concreta. Por ejemplo, una aplicación de tu periódico deportivo favorito que te sirve para estar actualizado de los marcadores de la jornada. Otro icono representa la aplicación que usaremos para acceder a navegar por Internet. Más adelante comprobarás su importancia en este entorno.

14

Tenemos claro entonces que el concepto *Tablet* tiene los componentes *hardware* de un ordenador, el *software* evolucionado de los teléfonos móviles y, además, un tamaño intermedio entre un móvil, un ordenador y un libro de cocina. ¿Qué podremos hacer con esta mezcla tan rara?

El objetivo de los *Tablet* es, en principio, poner a tu disposición un dispositivo que sirva para las tareas más comunes a las que accedes en tu ordenador en un formato más manejable y cómodo que el ordenador portátil o sobremesa al que estamos acostumbrados. Sin embargo, también es suficientemente potente como para ser más que un lector de Internet portátil, podremos hacer muchas cosas además de navegar por Internet.

En los siguientes capítulos vamos a ir abordando poco a poco todos estos temas planteados hasta que seas un experto con tu *Tablet*. Para llegar a ello, iremos dando algunos pasos intermedios. Primero, explicaremos cómo la evolución del mundo móvil nos ha llevado a entender las terminales como centros de ocio multimedia donde las aplicaciones son el centro de la solución. Explicaremos qué son y para qué sirven estas aplicaciones en el entorno móvil para después llegar a los *Tablets*, puesto que hacen uso del mismo concepto de aplicaciones descargables para facilitar el funcionamiento.

¿Cómo hemos llegado hasta aquí?

Capítulo 2

¿Cómo hemos llegado hasta aquí?

2.1 Introducción

Es tremendamente increíble la velocidad con la que la tecnología ha avanzado en estos últimos años. No hace demasiado tiempo, muchos teníamos unos móviles que también servían para dar trabajo a los fisioterapeutas. Eran como ladrillos gigantes, capaces de producirte contracturas en la espalda cada dos o tres semanas.

Figura 3

Sin embargo, en cuestión de años los dispositivos han evolucionado tanto que nuestros teléfonos se han convertido en miniordenadores. Todavía son capaces de llamar por teléfono, pero ahora también pueden hacer muchas otras cosas. Nuestros teléfonos modernos nos permiten acceder a Internet, instalar programas, ver vídeos, guiarnos vía GPS, etc., todo ello en un tamaño bastante reducido. Estos teléfonos son los denominados *smartphones* o teléfonos inteligentes.

Los *smartphones* no sólo han revolucionado el modo en que nos comunicamos, sino que también han dado una nueva forma y moldeado la evolución del mundo de las Tecnologías de la Información (IT), dando como resultado los dispositivos *Tablet*. Es importante que nos detengamos un poco sobre esto para entenderlo mejor.

En los siguientes apartados iremos descubriendo cómo los móviles han ido cambiando, sobre todo de la mano de *Apple*, incluyendo cada vez más opciones y funcionalidades. Una vez entendamos cómo funcionan los nuevos *smartphones*, llenos de aplicaciones, será muy sencillo entender cómo funcionan los *Tablets*.

Los *smartphones* no son mas que la tercera generación de teléfonos móviles, asociados a la tecnología de red 3G que nos ofrecen nuestros operadores de telefonía móvil. Pero para situarte mejor en el momento actual, déjame que haga un poco de historia.

En el lejano año 2000 empezábamos a usar la primera generación de telefonía móvil en la que sólo podíamos llamar por teléfono. Era la época de los teléfonos gigantes y la poca cobertura.

Aun con un servicio móvil primitivo, el beneficio que se obtenía de poder hablar por teléfono sin depender de una localización física hace que esta primera generación tuviera una demanda creciente y que además evolucionara hacia una segunda en la que se nos ofrecían más servicios asociados al terminal móvil, como los mensajes de texto (SMS).

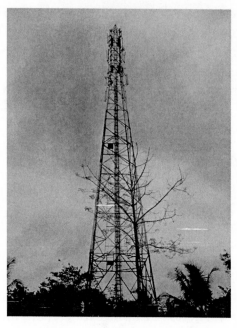

Figura 4

Con esta segunda generación, el uso de los móviles se fue populari-zando de manera incremental. Más o menos al mismo ritmo en que los terminales eran más manejables en tamaño y más accesibles en precio. La segunda generación ofrecía una serie de nuevos servicios, tanto en el terminal como en la red: juegos, mensajes multimedia o incluso un acceso primitivo a Internet a través de una red de datos móviles deno-minada GPRS. Estamos ante el éxito masivo de adopción de terminales móviles entre la población, dando servicio ya a un porcentaje muy alto del territorio de cada país.

Con el objetivo de llevar a los teléfonos móviles la capacidad de inter-cambiar datos con las redes de ordenadores, es decir, Internet, surge la tecnología 3G. Nace como sucesora de la segunda generación y con el ánimo de aumentar la velocidad y la capacidad de acceso a las redes de ordenadores desde el dispositivo móvil.

El hecho de que la red móvil estuviera preparada para aumentar su capacidad hace que los teléfonos móviles se adapten y modernicen para soportar todos esos nuevos servicios, llegando a la situación actual, donde tenemos nuestros maravillosos *smartphones*, que en el fondo son como unos miniordenadores donde podemos hacer muchas de las cosas que hacemos habitualmente con un ordenador, como navegar por Internet.

La evolución de la fabricación de chips y componentes informáticos también ha sido un factor decisivo. La capacidad de miniaturización o de fabricar chips cada vez más pequeños hace que podamos tener un teléfono móvil con GPS, WIFI y una buena pantalla en cuanto a definición, todo en un tamaño bastante apropiado. Por supuesto, cuanto más potente sea un chip o una tarjeta WIFI, más grande será el dispositivo. Se trata de alcanzar un equilibrio entre el tamaño y las capacidades que ofrece.

Ésta es nuestra nueva realidad, llevamos en el bolsillo no sólo un teléfono, sino nuestro email, nuestros servicios de mensajería instantánea, los *whatsapp* o la capacidad para navegar por Internet casi desde cualquier lugar.

¿Qué tiene que ver todo esto con los *Tablets*? La respuesta viene de la mano del fabricante *Apple*. Su exitoso *iPhone* y sus aplicaciones cambian la manera en que se entiende la tecnología de consumo portátil. Déjame hacer un poco de historia para que entiendas cómo nace y se desarrolla el concepto *Tablet*.

2.2 *iPhone* y la revolución móvil

Vivíamos EN un mundo feliz, lleno de innovaciones. Los teléfonos móviles cada vez eran más pequeños. Todos parecían convivir y progresar de la mano hacia una misma dirección. Pero no todo iba a ser un mundo de nubes de colores.

En el año 2007, la compañía *Apple* lanza al mercado un teléfono que cambia completamente el rumbo de los dispositivos móviles, apartándose del camino que el resto de fabricantes de dispositivos móviles estaba andando en esos momentos.

Figura 5

Apple, en aquel momento, era una compañía innovadora, con muchos años de historia y con sus potentes ordenadores Mac compitiendo por su cuota en el mercado. En el 2001 había vuelto a la primera línea reinventando el mundo de los reproductores portátiles con un dispositivo denominado *iPod* en el que se almacenaban canciones en formato digital. El *iPod* disponía de un manejo muy sencillo e intuitivo y tenía un diseño muy elegante e innovador. Simplemente marcaron distancias con sus competidores que aún andaban anclados en el *Discman* o reproductor de CD portátil. Muchos fabricantes copiaron la idea, llegando un momento en que el mercado estaba plagado de reproductores portátiles Mp3.

De unir la idea de un reproductor de Mp3 para almacenar canciones en formato digital con un teléfono de última generación surge en *Apple* la idea de tener un terminal que pueda ser ambas cosas, evitando tener que llevar dos aparatos encima.

En el año 2007, el laboratorio de innovación de *Apple* crea un dispositivo que es a la vez teléfono móvil y a la vez reproductor portátil de canciones con capacidad para guardar hasta 1 gigabyte de audio en formato digital. Lo llamaron *iPhone*. Pero... ¿era sólo eso lo que pensaron en su laboratorio de innovación?

Figura 6

La revolución no viene únicamente de sumar las dos características anteriores. El *iPhone* es un dispositivo distinto por muchos más motivos. Tiene un diseño elegante, es muy exclusivo y está lejos del aspecto convencional del resto de móviles de la época.

En cuanto a su manejo, incorpora una característica diferencial: una pantalla táctil con un funcionamiento más que correcto para manejar el terminal. Aunque ahora te parezca de lo más normal, en su momento fue una gran innovación y además con una calidad impresionante. La gran mayoría de móviles aún necesitaban botones, y las pocas pantallas táctiles que existían dejaban mucho que desear.

Es en lo relativo a su forma de funcionar o sistema operativo (llamado *iOS*) donde realmente se aleja a años luz del resto de la competencia. Con el objetivo de crear un teléfono tan fácil de usar que hasta los niños puedan controlarlo, *iPhone* hace uso de unos iconos "cuadrados" que tienes en la pantalla, denominados aplicaciones, con los que interactúas mediante la pantalla táctil.

Figura 7

El resto de móviles aún estaban totalmente orientados a ser teléfonos manejados con botones físicos. Sin embargo, en un *iPhone*, todo lo que pretendas hacer, incluso llamar por teléfono, lo harás pulsando sobre una aplicación cuya única función es ese uso concreto. Sólo tiene un botón central que te lleva a la situación de inicio de tu teléfono en caso de que quieras salir de alguna aplicación.

Estas aplicaciones, la forma de usarse y la sencillez con la que permite al usuario inexperto acercarse a la informática son precursoras reales de los *Tablets* y actualmente parte fundamental de todos ellos. Vamos a verlas en profundidad. Sólo cuando entiendas qué son y qué puedes hacer con ellas comprenderás por qué son tan importantes.

2.3 Entender los programas para entender las aplicaciones

Para poder explicar mejor lo que son las aplicaciones o qué pueden hacer por nosotros vamos a comentar primero qué es un programa informático. Para los más despistados, no estoy hablando de programas que puedes ver en un canal de televisión, es algo distinto.

Seguro que has oído más de un vez la palabra "programa" asociada al mundo de los ordenadores. Mucha gente la usa de manera habitual, pero sin preguntarse qué significa realmente. Algo parecido a lo que sucede con muchos de los anglicismos que se manejan en el mundo técnico como esas dos palabras tan oídas (*hardware* y *software*).

Un programa es un conjunto de tareas sencillas que se juntan para crear algo más complejo y conseguir un resultado final. ¿Complicado? Vamos a ver un ejemplo: tienes que escribir y enviar un informe por ordenador a tu jefe que, además, era para ayer. Obviamente necesitarás alguna herramienta donde escribir el informe una vez que estés delante de tu ordenador.

Del mismo modo que si lo fueras a escribir en papel necesitarías un folio en la pantalla o algún otro soporte virtual donde escribir y ver aquéllo que escribes con tu ordenador. Además, ese algo debe permitirte grabar lo que has escrito y poder enviárselo a tiempo al correo electrónico de tu jefe.

¿Cómo hacer para crear ese "algo" que te permita escribir? Si no me equivoco este libro es para principiantes, así que no espero que seas informático o conozcas algún lenguaje de programación que te permita construirlo a ti mismo. Lo que necesitas se llama "programa", ya ha sido construido por los que saben. En este caso concreto, usarás un programa procesador de texto para escribir el informe con tu ordenador y luego algún otro para enviarlo por correo electrónico. Los programadores ya han creado estos programas y los ponen a tu disposición para que puedas llevar a cabo la tarea que tienes en mente.

Figura 8

Los programas son como los kits de comida precocinada, listos para calentar y disfrutar. La parte difícil ya está hecha, sólo hay que hacer uso de ellos. Abrimos el programa que alguien ha hecho y ¡*voilà*!, tenemos una calculadora. Cómo se ha hecho y qué hay por detrás en realidad no nos preocupa.

Tendremos un programa que nos servirá para navegar por Internet, otro que nos ayudará a recibir y enviar correos electrónicos y uno más que nos ayudará a hacer cuentas con las hojas de cálculo, etc. Incluso los juegos de ordenador son programas. En definitiva, los programas nos ayudan a resolver necesidades concretas que tengamos en nuestro ordenador.

Si te detienes un momento a considerarlo, uno no puede saber de todo. Piensa en tu casa, ¿hubieras sabido construirla tú mismo? Normalmente te comprarás una casa que ha hecho alguien que sabe cómo hacerlo, un arquitecto, un constructor, etc. Con los ordenadores es similar. Te compras un programa que ya está hecho por algún experto, un programador en este caso. Es el mismo caso que escribir en un folio de verdad, nosotros no sabemos fabricar folios ni bolígrafos, los compramos en la papelería.

Ahora que ya tenemos claro qué es un programa, vas a entender rápidamente qué es una aplicación en el entorno *Tablet* o móvil. Una aplicación es un miniprograma. Ya está. Ha sido fácil, ¿verdad? De hecho, verás cómo los tres términos se intercambian de manera constante: programas, aplicaciones, miniprogramas. Los tres hacen referencia a lo mismo, aunque el más común en el entorno móvil y *Tablet* es el de la aplicación.

Como seguramente recuerdas, hemos dicho antes que los componentes de un *Tablet* o un móvil actualmente no son tan potentes como los de un ordenador. Por tanto, los programas que se usan en dichos entornos no podrán ser complejos sistemas de retoque fotográfico, programas de diseño de arquitectura o juegos de última generación. Serán programas que hacen cosas más sencillas, tanto por los recursos que tienen disponibles el móvil o *Tablet* como por el objetivo o tarea que realiza la aplicación en sí.

Ésta es la razón para denominarlos miniprogramas o aplicaciones. Ahora, vamos a ver por qué surgen y por qué decimos que el objetivo principal es hacer que el uso de tu *Tablet* sea mucho más sencillo.

2.4 Las aplicaciones hacen tu vida más sencilla

En la evolución de los teléfonos móviles, de algún modo más o menos intensivo, todos los fabricantes han hecho uso de programas, que eran diseñados por el propio fabricante de ese móvil. Quiero decir que los juegos a los que jugabas en tu Motorola, los había diseñado Motorola. Nadie más que ellos podían diseñar juegos para tu teléfono.

Sin embargo, el uso de estos programas o miniprogramas no dejaba de ser accesorio a la funcionalidad principal del teléfono, que era, sorprendentemente, llamar por teléfono. El tipo de aplicaciones existentes no estaban muy desarrolladas y tampoco tenían un uso primario en el dispositivo.

Apple, con el *iPhone*, allá por el lejano año 2007, da un giro completo a este enfoque. *iPhone* es un *smartphone* que apuesta por las aplicaciones. Como comentábamos al finalizar el capítulo anterior, la mayoría de las cosas que se pueden hacer con *iPhone* se hacen a través de programas o aplicaciones específicas. Incluso llamar por teléfono es una aplicación a la que se accede con el icono correspondiente visible en la pantalla táctil. Recuerda que *iPhone* es 100% táctil y no tiene los recurrentes botones de llamar y colgar.

El objetivo es que el uso del dispositivo sea lo más sencillo posible para cualquier usuario, que no tiene que perderse en infinitos menús para llegar a la agenda, para buscar un contacto o para empezar a navegar por Internet. Además, con las aplicaciones podemos proveer de más funcionalidad al terminal y hacer que no sólo sea un teléfono móvil.

Veamos un ejemplo: te levantas por la mañana medio dormido. Te diriges como un zombie legañoso hacia tu cuarto de aseo y comienza tu ritual. Ducha, afeitado, camisa, reloj y corbata. Después, probablemente prepares algo de desayuno, te pongas la chaqueta y, ¡a trabajar! Ésta es tu rutina de todas las mañanas.

Ahora, imagina que al levantarte pulsas una campanita y un pelotón de mayordomos de élite se ponen en marcha para prepararte el desayuno.

Al meterte en el baño encuentras que otros tantos mayordomos están comprobando la temperatura del agua de tu ducha dispuestos a afeitarte y enjabonarte. Cuando sales de la ducha, ya te han elegido la camisa, el traje y la corbata. Es cuestión de vestirse solo. La verdad es que habrías ahorrado mucho tiempo, y aunque aún tendrías que ir hacia el baño y moverte un poco de aquí a allí, muchas de las etapas de tu rutina habitual para estar listo ya te las habrías ahorrado.

Esto es lo mismo que hacen la mayoría de las aplicaciones por ti: con sólo pulsar su icono correspondiente en la pantalla, te ahorran tener que dar tres o cuatro pasos para obtener el mismo resultado. Como imaginarás, también nos ahorra tener que saber dónde y cómo dar esos tres pasos dentro de los múltiples menús o botones de tu móvil. ¿Podrías haber hecho lo mismo sin la aplicación? Seguramente sí, pero si nos ahorra tiempo y nos lo pone fácil, ¿por qué no usarla?

Veamos un ejemplo con la aplicación de la cadena de noticias CNN para *iPhone*:

Figura 9

Tras instalar la aplicación de la CNN, tendremos su icono correspondiente en la pantalla. La aplicación está lista para usarse. Sólo con pulsar encima de dicho icono, todas las noticias aparecerán en tu pantalla divididas en categorías. Es posible que incluso puedas crear una categoría propia para tener a mano las noticias que más te interesan agrupadas de manera automática.

Figura 10

Sin tener esa aplicación, para obtener un resultado similar tendrías que entrar en Internet, primero buscando la aplicación que te deja navegar, después teclear la dirección de la CNN http://www.cnn.com, y seguir buscando entre la portada y las categorías las noticias que más te interesan.

Esto significa, al menos, pulsar más de una vez la pantalla y tener que conocer y escribir la dirección completa detrás de las "www". Es mucho más sencillo y económico con la aplicación, ¿a que sí?

Las aplicaciones más básicas están enfocadas a hacer que todo sea más fácil y a ayudarte a ganar tiempo. Por ejemplo, la aplicación que muestra la predicción del tiempo de tu ciudad. Lo que en realidad está haciendo es ahorrarte el tener que teclear la página de Internet que contiene la predicción del tiempo y esperar el resultado. Con la aplicación todo es más fácil, con pulsar con tu dedo sobre ella nos ofrece la predicción del tiempo. Además, vía GPS sabrá la ciudad en la que estás, ahorrándote tener que introducirla.

Las aplicaciones más complejas te ayudarán con tareas más complicadas. A tu disposición tienes hojas de cálculo, procesadores de texto, lectores de correo electrónico, aplicaciones para la contabilidad casera y un sinfín más de aplicaciones que te van a hacer la vida más fácil.

Es importante repetir que lo que toda aplicación persigue es facilitar el uso del móvil, poniendo cierta funcionalidad asociada con un icono en tu pantalla. Mediante estos iconos podemos identificar y utilizar la funcionalidad de un modo sencillo. Se acabó buscar en infinitos menús donde se oculta el programa de la alarma para despertarnos. Con *iPhone* tienes un bonito icono en la pantalla.

2.5 Instalar aplicaciones. La tienda virtual de Apps

La visión de *Apple* no se queda en un mundo estático donde ellos mismos programan las aplicaciones disponibles para el *iPhone*. Con el objetivo de ampliar la oferta de aplicaciones o miniprogramas para su móvil, *Apple* decide abrir su entorno de aplicaciones a otros programadores que no pertenecen a la propia compañía. Cualquier persona que pudiera programar en el entorno de *iPhone* podía crear miniprogramas o aplicaciones. Esas creaciones después podrían ser vendidas en una tienda virtual de aplicaciones que se denominó *App Store*.

Puedes verlo del siguiente modo: Antes de la invención del *App Store*, los móviles eran como tiendas de firma donde los únicos productos disponibles eran creados por esa firma en exclusiva, no se vendían productos de otro fabricante. Con *iPhone* y *App Store* el concepto de tienda de firma evoluciona hacia el de supermercado. Cualquiera con productos que vender puede acceder a venderlos en este supermercado tras una selección previa, compitiendo, además, con otros productos que pueden colocarse en la misma categoría. Imagina la cantidad y diversidad de nuevas funcionalidades que las aplicaciones podían aportar a los terminales.

App Store es lanzado definitivamente en julio del 2008. El acceso a la compra en esa tienda virtual se efectúa desde el propio móvil, a través de un icono o aplicación llamado *App Store*. El icono correspondiente a esta aplicación ya estaba preinstalado en el teléfono, el que puedes ver en la imagen siguiente:

Figura 11

Una vez pulsado sobre el icono de la aplicación, mediante la conexión a Internet del dispositivo podrás ver todas las aplicaciones disponibles en la tienda virtual. Cuando se selecciona alguna, ésta se descarga y se instala en nuestro dispositivo. Descargar significa traerla desde la tienda hasta nuestro terminal para poder usarla. Por supuesto, la traemos a través de la conexión a Internet del *iPhone*, ya sea WIFI o 3G.

Muchas de estas aplicaciones que se encuentran en la tienda virtual son de pago, pero hay muchas otras que son gratuitas y que se financian gracias a la publicidad que incluyen, sin restarle calidad.

Para los programadores era un mercado nuevo donde poder vender sus creaciones de manera autónoma, sin un jefe ni un proyecto por encargo. No necesitabas trabajar en *Apple* para crear aplicaciones para su teléfono *iPhone*, simplemente saber programar y tener una idea.

Con estas condiciones favorables, el número de programadores que comienzan a desarrollar aplicaciones crece exponencialmente, del mismo modo que el número de *iPhones* vendidos.

Actualmente, se cuentan hasta 500.000 aplicaciones disponibles en *App Store* para su sistema operativo *iOS*, entre aplicaciones gratuitas y de pago. Como puedes imaginar, puedes encontrar aplicaciones para casi todo. Aplicaciones que nos ofrecen las últimas noticias, el tiempo en nuestra ciudad, calendarios, agendas, reproductores de música, juegos, etc. La lista es casi inacabable.

Si te preguntas cómo les ha ido a todos estos creadores, te diré que bastante bien. En julio del 2011 el número total de descargas de aplicaciones llega a los 15 billones, con un beneficio total de unos 3,6 billones de dólares.

Teniendo en cuenta que los beneficios de la venta de aplicaciones se reparten entre un 70% para el creador y un 30% para *Apple*, haz los cálculos correspondientes y comprobarás la cantidad de dinero que han obtenido los programadores por vender sus creaciones en este entorno. Como dato adicional, en marzo del 2012 el número total de descargas de aplicaciones rozaba ya los 25 billones.

2.6 El éxito y los nuevos competidores

Tras el éxito masivo de *Apple*, *iPhone* y su *App Store*, el resto de fabricantes de móviles y sistemas operativos también intentan adoptar o inventar un sistema similar, con aplicaciones a las que se acceden a través de tiendas virtuales. Todo el mundo quiere su parte de la tarta.

Surgen competidores con sistemas operativos nuevos como *Android*, firmado por la compañía Google. Otros fabricantes como Nokia tratan de adaptar sus sistemas reinventando la manera en que se descargan aplicaciones con algo denominado *Ovi Store* para su sistema operativo Symbian, sin mucho éxito.

Android no es un modelo de teléfono como puede serlo *iPhone*, *Android* es un sistema operativo para ser empleado en terminales móviles. Es como el *iOS* de *Apple*, con la diferencia de que puede ser empleado en diversos fabricantes, como LG, HTC, *Samsung* o Motorola. En el caso de *Apple* y su *iOS*, sólo su propio terminal *iPhone* puede equiparse con *iOS*. Por eso *Android* no va asociado a ninguna marca de teléfono en concreto y tiene una gran diversidad de modelos y fabricantes donde escoger.

Android también es un sistema operativo abierto a desarrolladores y dispone de su propia tienda virtual de aplicaciones, donde, a diferencia del *App Store* de *Apple*, la gran mayoría son gratuitas. La tienda virtual de *Android* se llama *Google Play*, anteriormente llamada *Android Market*, y se accede a ella desde una aplicación en tu dispositivo. Como ves, algo muy parecido a *iPhone*.

Android tiene un gran impacto en el mercado y se convierte en casi el único competidor para el *iPhone* de *Apple*. En el momento actual el número de aplicaciones disponibles para sistemas *Android* es de aproximadamente 400.000 aplicaciones. Una competencia dura y creciente para *Apple*.

En términos de beneficios, a finales del 2011 un estudio de la compañía de mercado Distimo mostraba cómo el mercado de aplicaciones de *Apple* para su sistema operativo *iOS* genera un beneficio seis veces mayor que el de *Android*.

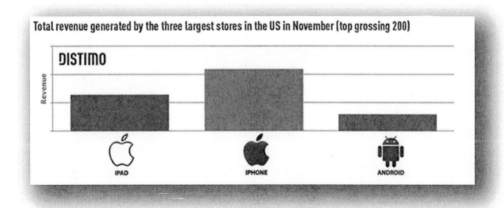

Figura 12

Sin embargo, a pesar de no generar tantos beneficios, las aplicaciones para *Android* son un mercado en constante crecimiento, tanto en aplicaciones como en número de desarrolladores. Hay que tener en cuenta, además, que el número de dispositivos o fabricantes de móviles que incluyen *Android* como sistema operativo es más numeroso que el del *iOS* de *Apple*.

Microsoft también entra en esta pelea y a finales del año 2010 lanzó un nuevo sistema operativo para móviles, llamado *Windows* Phone 7, que también incluye una tienda virtual de aplicaciones denominada Marketplace. Aunque aún no está muy madura, es un importante competidor de cara al futuro en el ámbito del móvil.

A día de hoy, la tienda virtual líder en cuanto a número de aplicaciones, descargas y beneficio generado sigue siendo la de *Apple*, aunque el mercado está abierto y los contendientes están muy bien posicionados.

Hasta aquí todo lo que tenía que contarte sobre móviles. Es importante que entiendas de dónde surgen las aplicaciones, para qué sirven y cuál ha sido su evolución para que comprendas mejor cómo y por qué nacen los *Tablets*. En el siguiente capítulo vamos a explicar cómo todo esto se relaciona.

Tablets y aplicaciones. Haciendo tu vida más fácil

Capítulo 3

Tablets y aplicaciones. Haciendo tu vida má fácil

3.1 ¡*Boom*! *Tablet*

Hasta ahora, hemos tratado de explicar cómo el mundo de los teléfonos móviles cambia tras la irrupción de *iPhone* y su sistema de aplicaciones. El terminal móvil pasar a ser mucho más que un teléfono para llamar, llegando a ser un centro de entrenamiento con aplicaciones para juegos, ocio, negocio, información, navegadores e Internet, por citar algunas.

Estos cambios no sólo van a afectar al negocio de la telefonía móvil, son cambios más profundos de lo que la industria esperaba, afectando de lleno a otras áreas relacionadas, como la forma en que se consume Internet o se emplea el tiempo de ocio en la red, siendo *Apple* de nuevo el motor de la innovación.

Mientras muchos de los fabricantes de terminales aún trataban de adaptarse a los nuevos gustos y exigencias de los usuarios de telefonía móvil, esto es, entornos de aplicaciones con montones donde elegir, iconos, pantalla táctil, etc., *Apple* da una vuelta de tuerca más al entorno de terminales móviles inventando una nueva categoría que hasta entonces no existía.

En marzo del 2010 *Apple* lanza al mercado la primera generación de un dispositivo denominado *iPad*. El *iPad* es un dispositivo con unas dimensiones muy particulares: es muy grande para ser un móvil pero es más pequeño y manejable que un ordenador portátil.

iPad sigue haciendo uso del sistema operativo del móvil *iPhone*: *iOS*, aunque ligeramente adaptado. Sus medidas son de 9,7 pulgadas (24 centímetros) de pantalla con retroiluminación LED, y 13,4 milímetros de grosor.

Se conecta a Internet mediante una red WIFI o a través de una tarjeta SIM de operador móvil con tecnología 3G, como la mayoría de los *smartphones*.

Figura 13

Como puedes imaginar, tal y como sucede con los *iPhones*, los *iPads* continuan haciendo uso de aplicaciones descargables de una tienda virtual en red. El objetivo de las aplicaciones en *iPad* sigue siendo dotar al aparato de una sencillez de uso extrema, mientras que por otro lado lo enriquecen con multitud de funcionalidades. Aprovechando sus nuevas capacidades, hay grupos de programadores que se dedican en exclusiva a crear aplicaciones para *iPad*, aunque la mayoría de las aplicaciones que funcionaban en *iPhone* también lo hacen en el *iPad*.

iPad crea la categoría *Tablet*, unos terminales portátiles cómodos y sencillos para navegar por Internet, trabajar con movilidad y disfrutar de las aplicaciones de un *smartphone*, pero en un tamaño más apropiado para un uso intensivo.

Con *iPad* es más sencillo que un usuario inexperto se acerque al mundo de la informática o al mundo de Internet. Es un dispositivo mucho más simple e intuitivo que los tradicionales ordenadores. No volveremos a perdernos en un mundo de teclados, ratones, ventanas y menús que se abren y cierran como en *Windows*. Esto es mucho más cómodo: las aplicaciones se muestran en la pantalla de tu *Tablet* en forma de iconos. Para usarlas, simplemente hay que pulsar sobre ellas.

Figura 14

Existirá una aplicación para casi cada tarea que quieras realizar. ¿Quieres saber el tiempo de tu ciudad? Busca una aplicación que te ofrezca la predicción del tiempo. ¿Quieres chatear con tus amigos? No te vuelvas loco buscando programas, instalando y desinstalando. Busca una aplicación que te ofrezca mensajería instantánea.

A pesar de ser un dispositivo peculiar, en sus primeros sesenta días a la venta consigue vender más de dos millones de unidades. Actualmente, existen tres generaciones de *iPad* y el número aproximado de unidades vendidas hasta enero del 2012 es de cincuenta millones de unidades. Un éxito rotundo.

Mucha gente se preguntaba cuál era el uso adecuado para el *Tablet*. ¿Tendríamos que usarlo como móvil? ¿Tendríamos que tirar nuestros ordenadores y usar *iPads*? Ciertamente, el *iPad* ha sido una disrupción total en el mercado. Son dispositivos portátiles, sencillos de usar y con una pantalla suficientemente grande como para ser empleados en tus interacciones diarias con la informática.

De hecho, el éxito rotundo del formato *iPad* y *Tablet* ha marcado la evolución futura del mundo de los ordenadores. Es un formato de dispositivo ganador. Se espera que en menos de dos años tengamos entre nosotros más *Tablets* que ordenadores personales, aunque ambos puedan convivir y en función del objetivo de uso que tengamos, empleemos uno u otro. Los *Tablets* parecen ser el dispositivo informático de preferencia en el futuro.

En la imagen siguiente puedes ver el reporte de la consulta Infinite Research, con la predicción del mercado *Tablet* en los próximos años. Según dicho informe, en 2015 tendremos unos 140 millones de *Tablets* en el mercado, frente a los escasos 20 millones que existían en 2010.

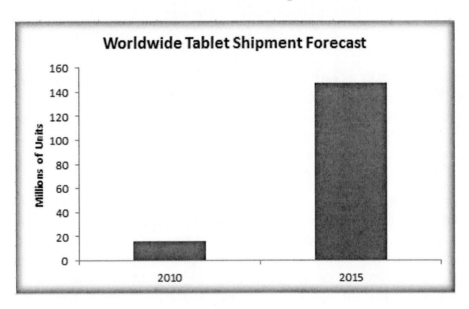

Figura 15

Desde el lanzamiento de *iPad*, muchos otros fabricantes también se lanzan a este nuevo mercado, creando *Tablets* como evolución de sus *smartphones* o bien reinventando sus sistemas operativos para poder encajarlos en un formato *Tablet*. Empiezan a surgir los dispositivos *Tablet* del sistema operativo *Android*, fabricados por *Samsung*, Motorola o Asus, los *Tablets* de Amazon e incluso algún *Tablet* con *Windows* fabricado por Acer. Más adelante hablaremos un poco más de este poblado ecosistema de *Tablets* que está cimentándose.

3.2 Claves del éxito *Tablet*

Llega el momento de preguntarnos cuál es la clave del éxito de este dispositivo que todo el mundo conoce por el término *"Tablet"*.

Aunque puedas leer diferentes opiniones y análisis, existen varios puntos clave que conviene destacar y que son comunes a cualquier versión de la historia.

Como hemos comentado con anterioridad, el *Tablet* es un dispositivo sencillo y fácil de usar para los poco iniciados en el mundo de la informática, indicado para los que se acercan con miedo a los ordenadores. El mundo de las aplicaciones, junto con la pantalla táctil, facilita el uso y disfrute de este tipo de dispositivos. Un par de toques en la pantalla encima del icono que necesitamos es todo lo que tenemos que hacer. No tendremos que aprender a usar *Windows* o Mac.

En el caso de *Apple*, el ecosistema de aplicaciones disponibles para *iPhone*, como hemos visto anteriormente, es tremendamente interesante y con multitud de funcionalidades. *iPad* comparte este ecosistema y lo mejora. Las aplicaciones que puedes descargar son de una calidad sobresaliente y cumplen las expectativas. ¿Necesitas un programa o aplicación para algún uso concreto? Casi seguro que la encontrarás.

Otro punto importante a destacar tiene que ver con las nuevas pautas de consumo de Internet en los hogares. En los últimos tiempos, el ordenador portátil en casa es comúnmente usado, casi exclusivamente, para acceder a Internet. Claro que es portátil y es más pequeño y transportable que un ordenador de sobremesa, ¿pero no es mucho más cómodo y transportable aún un *Tablet* que un ordenador portátil? Evidentemente, sí. El *Tablet* para acceder a Internet, leer el periódico o el correo es un dispositivo muy apropiado. La pantalla es lo suficientemente grande sin ser demasiado pesado.

Figura 16

Parece que *Apple* supo leer y prever perfectamente las nuevas necesidades del consumidor informático, orientando sus esfuerzos de innovación en ese sentido y acertando plenamente. Los usuarios avanzados también se acercan a los *Tablets*, son cómodos y se pueden alternar con otro tipo de dispositivos, como ordenadores de sobremesa u ordenadores portátiles.

No hay que perder de vista que tras el éxito de *iPod* y *iPhone* la imagen de marca *Apple* estaba más que consolidada. *Apple* significa calidad, diseño y sobre todo innovación. A la hora de lanzar su *iPad*, *Apple* ya contaba con una legión de fieles seguidores dispuestos a probar cualquier nueva invención de su fabricante favorito.

También en el mundo laboral los *Tablets* tienen una gran repercusión. No sólo es un modo de parecer más moderno y *cool* dentro de tu empresa, sino que es una alternativa real a los ordenadores portátiles y muchas veces al dominio de Microsoft. Existen muchos roles dentro de una empresa donde un dispositivo portátil con acceso a Internet y WIFI facilitaría muchas de las tareas y puede sustituir a los ordenadores al uso.

Por ejemplo, en el área comercial. Los gerentes comerciales pueden transportar y mostrar sus catálogos y presentaciones dentro de su *iPad* o *Tablet Android* sin tener que cargar con el ordenador portátil de puerta en puerta.

3.3 Los diferentes tipos de *Tablets*

Ya hemos mencionado la mayoría de los sistemas *Tablet* existentes durante los capítulos anteriores, pero en este punto, y antes de entrar en detalle en cada tipo concreto de dispositivo, vamos a hacer un resumen de los diferentes tipos de *Tablets* que hay en el mercado. Vamos a enumerar los principales, sin ofender a aquellos que aquí no aparezcan.

El primer gran grupo de *Tablets* existentes en el mercado son los *iPad* de *Apple*. *iPad* fue el primero en llegar y aún hoy es el *Tablet* más relevante. Como ya sabes, utiliza el sistema operativo *iOS*, como el de *iPhone*, aunque ligeramente modificado.

Figura 17

Actualmente existen tres versiones: *iPad*1, *iPad*2 y el nuevo *iPad* o *iPad*3. Entre cada versión hay una serie diferente de mejoras técnicas que debes evaluar antes de una posible compra. Además, estos *Tablets* pueden escogerse con diferente tamaño de almacenamiento de datos y con o sin la opción de conectarnos a una red 3G. Si has elegido un *iPad* únicamente con conexión WIFI, sólo podrás conectarte a Internet cuando estés cerca de una red WIFI a la que tengas acceso.

iPad es fabricado en exclusiva por *Apple* y distribuido a través de las tiendas físicas de *Apple* o grandes establecimientos de electrónica.

Figura 18

Tenemos otro gran grupo de *Tablets* llamadas *Tablets Android*. Tal y como sucede con los móviles *Android*, conviene que aclaremos primero que *Android* no es ningún fabricante, como en el caso anterior era *Apple*. *Android* es un sistema operativo diseñado por Google originariamente para móviles, pero que ha evolucionado a entorno *Tablet*.

Muchos fabricantes adoptan este sistema operativo en lugar de crear uno propio, dado que es más barato que invertir en I+D para diseñarlo desde cero. Además, es un sistema contrastado y de excelente calidad. *Samsung*, HTC, ASUS, Motorola o *Sony* son ejemplos de fabricantes que han adoptado el sistema operativo *Android* para sus dispositivos *Tablet*.

Digamos que el fabricante, como por ejemplo *Samsung* o cualquiera de los que hemos mencionado antes, fabrica y ensambla el *hardware* del *Tablet*: procesador, pantalla, memoria y los chips que lo hacen operar. Para hacer funcionar a todo este *hardware* de manera conjunta hace falta un sistema operativo. En lugar de que cada fabricante cree el suyo propio, el sistema operativo *Android* de Google es una opción a un coste muy bajo para los fabricantes de *Tablets*.

Android funciona de un modo parecido al *iOS* de *Apple*. Tiene iconos en la pantalla que representan aplicaciones y tienda virtual donde descargarlas.

Es un sistema más abierto que el *iOS* de *Apple* y por eso muchos fabricantes apuestan por él. Esto le confiere cierta ventaja frente a un *iPad*: mientras que sólo *Apple* fabrica *Tablets iPad*, los *Tablets Android* cuentan con una lista de fabricantes diversa y de primera clase. Estos fabricantes, además, compiten entre sí para crear la mejor *Tablet Android* posible en el mercado. Hemos enumerado unos cuantos, pero la lista va en aumento.

Así pues, cuando encuentres un *Tablet Samsung Galaxy* ya sabes que en realidad *Samsung* sólo pone la parte física, el *software* viene dado por Google con el sistema operativo *Android*.

Si miras las especificaciones de las *Tablets* podrás ver qué sistema operativo emplea; comprobarás cómo en la mayoría de los casos es *Android*. En el ejemplo siguiente, te destaco las especificaciones de un *Tablet Android Samsung* según se muestran en la tienda virtual de la Fnac, http://www.fnac.es

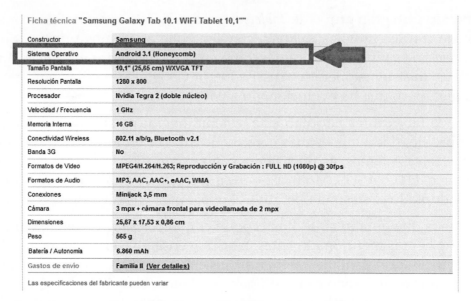

Figura 19

Hablemos ahora de otro competidor que se está afianzando en el mercado. Se trata de Amazon y su *Tablet Kindle Fire*, aunque de momento no puedas comprarlo en España.

Ya hemos dicho que este dispositivo es una evolución del lector de libros digitales Amazon *Kindle*. El *hardware* está construido por Amazon, mientras que el sistema operativo es una versión adaptada del *Android* de Google.

Frente a sus dos competidores anteriores, destaca su acceso directo a la web de Amazon: www.amazon.com, un gigantesco proveedor de contenidos multimedia. Con *Kindle Fire* se tiene línea directa a las más de 10.000 películas, 5.000 libros electrónicos y demás contenido multimedia que Amazon pone a disposición de sus clientes. Tener línea directa no significa que sea gratis, sino que en función del contenido que quieras visualizar o escuchar puede que tengas que hacer algún pago que otro.

Figura 20

En cuanto al resto de aplicaciones y funcionalidades, opera de un modo similar a *iPad* o *Android*. Dispone de un mercado de aplicaciones dentro de la tienda online Amazon, cuyo aspecto puedes ver en la imagen siguiente.

Figura 21

Tenemos otro competidor que ahora mismo está en período de pruebas, pero que pronto puede hacer temblar al resto de *Tablets*. La razón es que hay un duro oponente que dará la vuelta a todas las estadísticas de cuota de mercado de fabricantes de *Tablets*. Se trata de Microsoft con su sistema operativo *Windows* 8, diseñado con los dispositivos *Tablet* en mente.

En marzo de 2012 Microsoft lanzó al mercado una primera versión de este sistema operativo para *Tablets*. Las pruebas iniciales y valoraciones de los gurús del sector han sido muy positivas. El aspecto que tiene es el que puedes observar en la imagen siguiente.

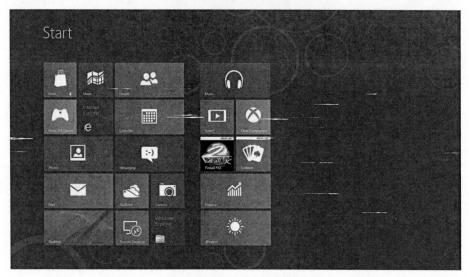

Figura 22

¿Te resulta familiar? Efectivamente, *Windows* 8 también es ahora un sistema operativo donde tendrás iconos cuadrados que representan aplicaciones. Tienen algunas particularidades y un nombre en inglés, *tiles*, pero todo esto te lo cuento en capítulos posteriores. Estas aplicaciones harán por ti cosas muy concretas y las podrás descargar de una tienda virtual que en este caso se llama Marketplace. En definitiva, un aspecto diferente pero el mismo concepto que el resto de *Tablets*.

Windows 8 tiene un hermano pequeño, los teléfonos con sistema operativo Microsoft *Windows* Mobile 7 que mencionamos en el apartado anterior.

Figura 23

Estos teléfonos ya incluían este tipo de interfaz, parecida al de *iPhone*, con aplicaciones representadas por iconos y su tienda virtual donde descargarlas. Esta interfaz para móvil, tamibén común en *Windows* 8 para *Tablets*, se denomina interfaz Metro.

Como puedes ver, la imagen anterior y la que tienes abajo comparten aspecto en cuanto a iconos situados en la pantalla en forma de rectángulos. No podía ser de otro modo, al pulsar sobre alguno de ellos se abrirá la aplicación correspondiente.

Figura 24

Windows 8 también contiene un sistema operativo *Windows* como el que estamos acostumbrados a usar, con ventanas, escritorio y cursor. Dependiendo de dónde instalemos *Windows* 8, podremos elegir entre un sistema u otro. Normalmente, al instalar *Windows* 8 en un ordenador personal o de sobremesa elegiremos la opción de *Windows* estándar. Cuando tengamos un *Tablet* con *Windows* 8 tendremos una interfaz Metro como la que hemos visto en las imágenes anteriores.

Como has supuesto ya, *Windows* 8 es sólo un sistema operativo diseñado por Microsoft. Son los fabricantes *hardware* los que deben poner el procesador, memoria y disco duro, o lo que es lo mismo, la parte física del *Tablet*.

Existen muchos fabricantes interesados en incorporar *Windows* 8 en sus dispositivos.

El potencial y penetración de Microsoft es muy importante. La competencia que genera un nuevo competidor tan importante como Microsoft en el mercado *Tablet* sólo puede ser beneficiosa, tanto para usuarios como para el mercado. Ningún fabricante podrá permitirse el lujo de dormirse en innovación o I+D, tendremos *Tablets* cada vez mejores tratando de ganar nuestra atención desesperadamente.

Es cuestión de tiempo comprobar si todos estos *Tablets* y sistemas operativos sobrevivirán o sólo quedará uno. Es una situación de competencia parecida a la que vivimos con los sistemas de vídeo casero. Los sistemas Beta, VHS y 2000 compitieron por el dominio del mercado hasta que prácticamente sólo quedó uno. Del mismo modo que el *Blu-ray* frente al DVD o *Playstation* frente a *Xbox*. Al final, el usuario será el que elegirá el sistema que mejor se ajuste a sus necesidades.

Para finalizar este capítulo, déjame contarte qué situación tenemos a día de hoy en el mercado. Ten precaución con los datos, puesto que las cosas cambian rápidamente. En el segundo trimestre del 2012, *Apple*, con *iPad*, sigue siendo el rey de este tipo de dispositivos. "El que da primero siempre da dos veces". De hecho, a principios de 2012 el 51% de los *Tablets* que se vendieron fueron *iPad*. Los *Tablets Android* representan el 44% del mercado, mientras que el resto se lo reparten los *Tablets* de Amazon y otros fabricantes.

En los primeros años tras su lanzamiento, *iPad* no tenía competencia directa, con lo que su cuota de mercado era próxima al 94%, es decir, que el 94% de los *Tablets* que se vendían eran *iPad*.

Sin embargo, la aparición de otros tipos de *Tablets* han hecho que esa cuota haya bajado hasta el 54%-51%, siendo el resto de ventas principalmente *Tablets Android*. Se espera un futuro mucho más fragmentado, puesto que tanto *Android* como *iPad* compiten con *Windows* 8.

Con este panorama tres grandes grupos dominan el mercado, *iPad*, *Android* y *Windows 8*.

Tablet iPad y *App Store* en detalle

Apps de Apple

Espectaculares apps creadas por los mismos profesionales que diseñaron el iPad. Más información ›

Negocios

Gestiona proyectos, lee las noticias del sector y consulta cotizaciones en tiempo real. Más información ›

Productividad

Mejora tu productividad con apps que hacen mejor el trabajo, y además con estilo. Más información ›

Educación

Aprende de una forma interactiva y divertida, desde idiomas hasta matemáticas. Más información ›

Entretenimiento

Echa un vistazo a la cartelera o crea auténticas obras de arte con solo mover el dedo. Más información ›

Música

Convierte el iPad en un estudio de grabación portátil o monta una fiesta en un instante. Más información ›

Juegos

Surca los cielos, haz puzles o descubre mundos desconocidos o de leyenda. Más información ›

Redes sociales

Actualiza tu estado, comparte fotos y vídeos, y cuéntale al mundo tus andanzas. Más información ›

Noticias

Entérate de las últimas noticias con apps para el iPad que te mantendrán al día de todo. Más información ›

Deportes

Mejora tu estilo, sigue a tu equipo y descubre más formas de ponerte en forma. Más información ›

Viajes

Encuentra las mejores ofertas para tu escapada y ten todo preparado antes de aterrizar. Más información ›

Quiosco

Lee tus suscripciones a revistas y periódicos de una forma totalmente nueva. Más información ›

Capítulo 4

Tablet iPad y *App Store* en detalle

4.1 Introducción

Llega el momento de hablar un poco más en detalle de *iPad*, el *Tablet* de *Apple*. Por si la curiosidad te ha hecho abrir el libro justo por este capítulo, voy a hacer énfasis de nuevo en algunas de las cosas más relevantes que hemos ido contando en capítulos anteriores sobre este dispositivo.

Figura 25

Para introducirnos en el conocimiento de este *Tablet*, qué mejor que nos lo expliquen los diseñadores de *Apple*: "El *iPad* puede ser todo lo que tú quieras que sea. Tu navegador web. Tu buzón. Tu novela favorita. Tu forma de ver y hablar con tus amigos sin tener que salir de casa... Haz cualquier cosa que se te pase por la cabeza de una forma más inteligente, intuitiva y divertida".

Sinceramente, me han ahorrado bastante tiempo en buscar la definición más precisa del concepto *Tablet*. Como te he ido contando a lo largo de estas páginas, los *Tablets* son un concepto muy novedoso, tanto por dimensiones como por tipo de funcionamiento y usuario objetivo. No es fácil entender para qué usos podemos emplearlos hasta que uno cae en nuestras manos.

Es muy frecuente escuchar cosas como "¿Para navegar por Internet? Para eso ya tengo mi portátil", o tal vez hayas oído a alguien decir "Es mi *iPhone* pero en grande, ¿para qué quiero yo algo así?". Todas estas dudas se disipan cuando uno de estos aparatos cae en sus manos. Incluso los más reacios a la informática, peleados con *Windows* desde sus inicios, descubren un nuevo mundo lleno de posibilidades.

La principal razón por la que se produce esto que te estoy contando no es más que la simplicidad de este tipo de dispositivos. Tal y como hemos repetido varias veces a lo largo de los capítulos anteriores, hacer cualquier cosa que se te ocurra es tremendamente sencillo. Solamente necesitas tus dedos y una aplicación en tu *iPad*.

Vamos a ver algunos datos más concretos sobre *iPad*. Quizá algunos de los que estén leyendo este capítulo no tengan uno en sus manos, por lo que conviene refrescar cierta información.

iPad, en su primera versión, es un dispositivo rectangular con las medidas que puedes observar en la imagen adjunta:

Figura 26

La pantalla tiene un tamaño de 9,7 pulgadas (20 cm x 15 cm) y posee una calidad asombrosa, mejorada en la tercera versión. En cuanto a los componentes físicos que todo *Tablet*, ordenador o teléfono móvil debe tener, vamos a ver cómo viene equipado.

El procesador, que como ya sabes es lo más parecido al cerebro del dispositivo, será el encargado de recibir órdenes y darlas al resto de componentes, como la pantalla o el disco duro. Cuanto más rápido sea más capacidad tiene para procesar cosas. *iPad* cuenta con un procesador de 1 gigahercio.

Piensa que los ordenadores portátiles de última generación, llamados ultrabooks, incluyen procesadores de hasta 1,7 gigahercios, mientras que tu móvil posiblemente tenga un procesador de hasta 800 megahercios. Como los gigas son órdenes de magnitud superiores a los megas, resulta que tu *iPad* tiene un procesador más potente que el de los móviles, pero menos potente que el de un ordenador portátil de última generación.

Ésta será una característica común a la mayoría de los *Tablets* actuales. Sus especificaciones estarán siempre a caballo entre las de un teléfono móvil y las de un ordenador portátil. No en vano, comentábamos en los primeros capítulos que el *Tablet* es una evolución de los dispositivos móviles o una adecuación de los ordenadores portátiles. Dicen que la virtud está en el punto medio.

En términos de memoria, *iPad* equipa una memoria de 256 megabytes. Los móviles suelen tener una memoria similar o algo inferior, mientras que los portátiles están incluyendo ya 4 gigabytes de memoria. De nuevo, *iPad* se sitúa en el medio.

Hablando de almacenamiento, nos ofrece opciones de 16, 32 ó 64 gigabytes de almacenamiento de datos. Un ultrabook incluye un disco duro de aproximadamente 300 gigabytes, como ves, con más capacidad de almacenamiento. Los móviles incluyen la posibilidad de insertar tarjetas MicroSD, las cuales pueden llegar a almacenamientos de datos del orden de varios Giga Bits. En el punto entre ambos mundos, se encuentra *iPad*.

Todas estas características físicas han sido ligeramente mejoradas con cada nueva versión, pero el modo de funcionamiento sigue siendo exactamente el mismo.

Tenemos que entender que del mismo modo que no te comprarías un tractor para ir los fines de semana al pueblo por la autopista, cada dispositivo tiene unas características únicas asociadas al uso que se le quiere dar. Sería absurdo comprar un equipo con unas características avanzadas de memoria, procesador o disco duro si sólo necesitamos emplear un porcentaje muy pequeño.

Un terminal móvil, con una memoria como la que hemos comentado, no está pensado para programas complejos o aplicaciones profesionales que exigen muchos recursos. Un ordenador portátil, con esa capacidad de almacenamiento, parece el dispositivo adecuado para un almacenaje masivo. Así lo dicen sus 300 gigabytes de disco duro.

El *iPad* no tiene una capacidad de almacenaje tan grande ni una memoria tan amplia comparada con la de un ordenador portátil, pero a cambio es más manejable y portátil que un ordenador. Por otro lado, es mucho más funcional que un móvil, con una pantalla más grande y mejores prestaciones.

Es posible que el procesador rápido y ágil de un ultrabook sea de agradecer cuando estamos utilizando grandes hojas de cálculo o programas de diseño. Sin embargo, el procesador de *iPad* es suficiente para navegar por Internet e interactuar con las aplicaciones de manera efectiva. ¿Por qué poner el motor de un Ferrari en nuestro coche de diario?

Espero que te vayas haciendo una idea de que los ordenadores, *iPads* y móviles pueden convivir perfectamente, cada uno en su ámbito y con un uso distinto.

4.2 ¿Dónde están los botones? Lo básico

Mirándolo de arriba abajo la verdad es que tiene pocos botones, ¿no te parece? La realidad, y te darás cuenta a medida que vayas usándolo, es que no necesitas más. La pantalla táctil y las aplicaciones harán el resto.

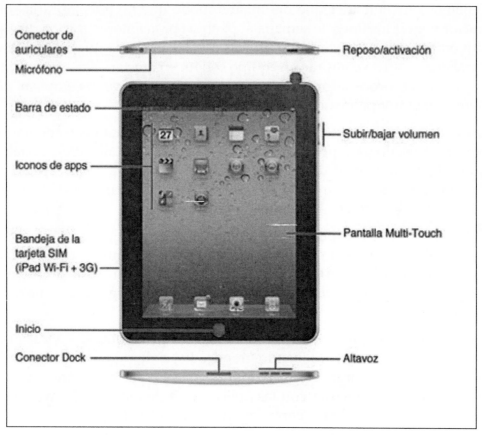

Figura 27

El más importante es el botón de inicio que ves en la parte central inferior de tu *iPad*. En la imagen anterior está destacado. Será tu punto de control. Siempre que te sientas perdido será como volver a casa, pues te devolverá a la pantalla inicial. Éste es el único botón en la superficie del *iPad*.

En la parte superior tienes el botón de reposo/activación. Creo que su función queda bien clara con sólo nombrarlos, ¿verdad?

56

Botón de
reposo/
activación

Figura 28

Los otros botones que puedes encontrar son los laterales, que se emplean para el control de rotación y el control del volumen.

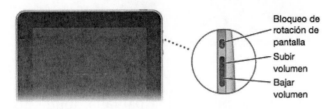

Bloqueo de
rotación de
pantalla

Subir
volumen

Bajar
volumen

Figura 29

Dispones de un conector para auriculares y si tu versión es 3G o 4G también tienes un espacio donde conectar la MicroSIM de tu operador de telefonía móvil.

En realidad, si ya tienes un *iPad* o has ojeado mínimamente su manual, todo esto ya te lo sabes. No te estoy contando nada que no esté detallado en ese manual o puedas averiguar tú con un par de horas de uso. Veamos algunas cosas un poco más interesantes.

Vamos a describir algunos iconos que representan aplicaciones importantes en tu *iPad*. Primero los "Ajustes", es decir, dónde cambiar ciertas cosas de la configuración de tu *iPad* para personalizar tu dispositivo. A los ajustes accedes a través del siguiente icono de aplicación.

Figura 30

Encontrarás, una vez que pulses, una pantalla donde podrás cambiar cómo se comportan ciertas partes de tu *Tablet*. De momento, como somos principiantes, no vamos a complicarnos mucho. Solamente quédate con el icono y su función.

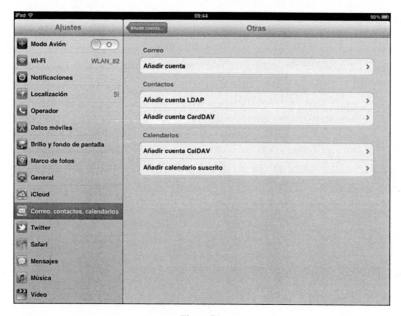

Figura 31

Otro icono importante es el del navegador de Internet, puesto que será el programa/aplicación que te permitirá navegar por Internet. Esta aplicación se llama Safari y tiene una larga tradición como navegador de Internet para dispositivos *Apple*. Es similar a Internet Explorer que incorporan los ordenadores. En la imagen siguiente puedes ver su icono.

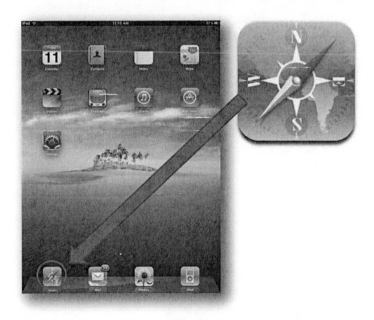

Figura 32

Una vez pulses sobre la aplicación "Safari", podrás empezar a navegar por Internet. Te recomiendo que leas el capítulo sobre Internet en cualquier momento —no tienes por qué leer este manual en orden—, puesto que será uno de los usos principales que seguro le darás a tu dispositivo.

Por supuesto, la navegación funciona igual de bien que el resto de aplicaciones. Prueba a hacer grande y pequeña la imagen, ya sabes cómo, acercando o alejando con un par de dedos sobre tu pantalla. Si pulsas un par de veces sobre algunas de las columnas, comprobarás cómo suavemente se hace *zoom* sobre la parte que has tocado.

Figura 33

Otra aplicación que debes tener en mente es el *App Store,* esto es, la tienda virtual de aplicaciones. En la siguiente imagen puedes ver en qué parte de la pantalla se sitúa su icono.

App Store

Figura 34

Si es la primera vez que tratas de entrar en la tienda virtual, tendrás que rellenar algunos datos para crear un usuario. Esto significa que para acceder a *App Store* es necesario un usuario y una contraseña. De este modo, si alguien coge tu *iPad*, no podrá acceder a la tienda e instalarte cosas que tú no quieres.

Durante el proceso de registro para crear un usuario y poder entrar a descargar aplicaciones comprobarás que, entre otros datos, te pedirán un email y un número de tarjeta de crédito. Esto es así porque algunas de las aplicaciones son de pago y necesitas pagar para descargarlas. La factura de dicha compra la recibirás en el correo electrónico que asocies a la cuenta. Los precios de las aplicaciones de pago son variables, pero normalmente oscilan entre 0,99 y 6 €. Puedes elegir no dar ningún tipo de información de pago, pero en ese caso solamente podrás descargar aplicaciones gratuitas.

Figura 35

El aspecto que tiene esta tienda virtual es el que ves en la imagen bajo estas líneas. Aunque pronto la dominarás con sólo usarla unos minutos, veamos algunas cosas importantes.

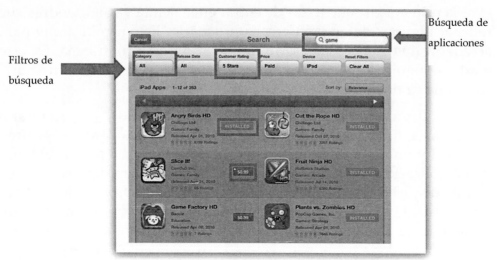

Búsqueda de aplicaciones

Filtros de búsqueda

Figura 36

En la parte superior derecha puedes buscar aplicaciones por nombre, categoría o cualquier otro término de búsqueda que se te ocurra. Si por ejemplo haces una búsqueda con la palabra "tiempo", como resultado tendrás todas las aplicaciones que tengan que ver con el tiempo.

En la parte superior central, bajo el recuadro de búsqueda, podrás filtrar esos resultados. Quizá quieras filtrar por categorías, es decir, sólo ver aplicaciones relacionadas con el tiempo meteorológico, pero no juegos, o al revés. Puede que quieras dejarte guiar por lo que otros dicen de las aplicaciones y por tanto filtrarás por lo que otros clientes opinan (en inglés *customer rating*), que no son más que puntuaciones que otros usuarios han dado a las aplicaciones que tienen que ver con la búsqueda que estés realizando. También puedes filtrar por tipo de aplicación: gratuita o de pago.

Un poco más abajo tienes las aplicaciones que están asociadas al criterio de búsqueda empleado. Fíjate cómo al lado de cada aplicación tienes su precio correspondiente para poder descargarla. Si ya las has instalado en tu *iPad* previamente, en lugar del precio observarás que la tienda te indica que está "Instalada" (en inglés *installed*), es decir, que ya la tienes disponible en tu *iPad*.

Otra dos aplicaciones que conviene que conozcas y que ya tienes instaladas son las aplicaciones donde podrás configurar un correo electrónico, *iPod* e iTunes.

Figura 37

Sobre el correo electrónico, de momento no voy a entrar en detalles. En el capítulo sobre Internet veremos cómo crear un correo electrónico y de qué tipo. Veremos también cómo configurar los *Tablets* para usar ese correo. Una vez configurado, lo tendrías disponible bajo el icono de la aplicación "Mail".

iTunes es en cierto modo precursor de *App Store*. No es más que una tienda virtual donde podrás comprar música y películas. Sin tener que descargarlos de Internet en plan pirata, tendrás a un precio muy asequible lo último de tus artistas favoritos. Para que cuando lo veas no te asustes, en la imagen siguiente vemos cómo es *iTunes* para *iPad*.

Figura 38

La otra aplicación que te destacaba era *iPod*. El nombre es el mismo que el de los dispositivos de almacenamiento digital que revolucionaron el mundo de la música, ¿recuerdas el capítulo primero? Efectivamente, hace lo mismo. Es la parte de tu *iPad* donde controlas la reproducción de canciones, creando listas de tus temas preferidos, marcando las canciones que más te gustan, etc.

Cuando lo uses verás que es algo parecido a lo que puedes ver en la siguiente imagen.

Figura 39

Me he permitido destacarte la zona superior izquierda, donde podrás seleccionar el tipo de contenido a reproducir: "Música", "Podcasts" o "Audiolibros". Sí, has leído bien, audiolibros. Son libros narrados que podrás escuchar en tu *iPad*. No me olvido de explicarte qué es un podcast. Imagina un programa de radio que no puedes escuchar porque estás reunido pero que te interesa mucho. Si se pudiera grabar y dejarlo en algún sitio en Internet donde después descargarlo con tu *iPad*, tendrías un podcast. Los podcasts son recopilaciones de programas de radio grabados, charlas o cursos que podrás escuchar cuando a ti te venga bien, aunque te pierdas la emisión en directo. Poco a poco y a medida que vayas entrando en el mundo *Apple* el concepto se clarificará aún más por sí solo.

Antes de entrar en el siguiente capítulo, asegúrate que tienes algunas horas de vuelo con tu *Tablet*. Haz algunas llamadas y comenta a tus amistades que te manejas con las aplicaciones, diles que ahora puedes explicar claramente lo que es *App Store*. Has dado un paso muy grande en tu progreso hacia el mundo digital. Una vez estés familiarizado con tu *Tablet* y estas aplicaciones básicas, estás preparado para seguir leyendo.

4.3 Trucos muy útiles para tu *iPad*

Querido lector, creo que ésta es una parte interesante de este libro. Estoy a punto de desvelarte los trucos mejor guardados del mundo sobre tu *iPad*. La mayoría de ellos los he recopilado de mi propia experiencia o la de mi entorno cercano, otros me los han ido contando algunos amigos que a su vez lo han leído en Internet. En definitiva, da igual de dónde vengan, son trucos útiles que te ayudarán a trabajar con tu *Tablet* mejor y que tienes aquí listados para tu uso y disfrute.

4.3.1 Controla tu volumen

Una de las primeras cosas que mucha gente me pregunta es si pueden eliminar el sonido del teclado cuando escriben. La respuesta es sencilla: por supuesto que se puede. Déjame que te diga dónde. Primero busca la aplicación para cambiar los ajustes de tu *iPad* y ábrela. ¿Recuerdas cuál era?

Figura 40

Ahora simplemente busca los ajustes generales y allí tienes la posibilidad de cambiar el sonido del teclado de "I" a "O", o lo que es lo mismo, con sonido o sin sonido.

Figura 41

4.3.2 Captura tu pantalla

Otra cosa que puede serte útil es la posibilidad de hacer una captura de pantalla, es decir, hacer una foto de lo que estás viendo en la pantalla en ese momento. Puede ser de utilidad para explicarle a alguien lo que estás haciendo con tu *iPad* en un momento concreto o para clarificar algún problema que pueda surgir y quieras reportar al soporte técnico.

Hacer esto es muy sencillo, simplemente pulsa el botón de reposo/activación primero y, mientras lo tienes pulsado, pulsa el botón de inicio.

Figura 42

Habrás tomado una foto de lo que estás viendo en pantalla justo en ese instante. Vamos a ver cómo ha quedado. Abramos ahora la aplicación que controla las fotos que hay en tu *iPad*, el icono con la imagen de la margarita.

Figura 43

Comprobarás cómo entre las fotos que tienes hay una foto de tu pantalla.

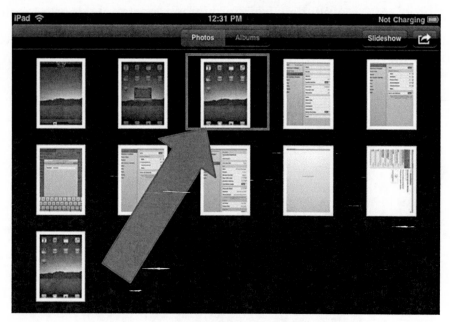

Figura 44

¿Magia? Ahora, cuando alguien te diga que no has llegado al nivel 50 de algún juego o no crea que eres capaz de navegar por Internet, puedes tomar una foto y enseñarla después para que vean que te han subestimado. Incluso puedes mandar esta foto por correo a quien tú consideres oportuno. Si eres observador, te habrás dado cuenta de que esta es una funcionalidad que yo uso constantemente para las imágenes de este libro.

Figura 45

Otro posible uso es el de tomar una foto de un mapa, para luego enviarlo por correo y consultarlo a la hora de tener que orientarte.

Estoy convencido de que encontrarás la utilidad de poder hacer una foto de tu pantalla. Puedes pensar en esta funcionalidad como el *pause* de los antiguos vídeos, pero con la posibilidad añadida de guardar esa imagen y conservarla el tiempo que quieras.

4.3.3 Borrando aplicaciones

Es usual que uno se descargue aplicaciones, las pruebe y luego queden en el olvido de su escritorio. ¿Por qué no hacer limpieza y borrar algunas? El truco para borrarlas es sencillo.

Selecciona la aplicación que quieres borrar y pulsa su icono unos segundos hasta que se ponga a vibrar y puedas ver una "x" encima suyo. Pulsando de nuevo sobre el icono, lo eliminarás de tu dispositivo. Eso sí, tendrás que confirmarle a *iPad* que quieres borrarla, no sea que fuera un error y te arrepientas.

En la imagen siguiente, estamos borrando la aplicación "Pandora".

Figura 46

Algunas aplicaciones preinstaladas como "Safari" o "Maps" no podrás borrarlas, pero si te molestan siempre podrás moverlas a otra pantalla de tu *Tablet*.

4.3.4 Moviendo aplicaciones por pantallas

Esta vez vamos a tratar de mover algunos de los iconos que tenemos en nuestra pantalla a otras pantallas, y no me refiero a que tengas que comprar otro *iPad*.

Como sabes, arrastrando en las esquinas izquierda y derecha de tu *Tablet* podrás acceder a nuevas pantallas. Es como traer la página que está situada a la izquierda o a la derecha. Ahora bien, ¿cómo coloco aplicaciones allí?

Todo empieza como en el ejemplo anterior, debes pulsar sobre el icono que desees mover hasta que comience a vibrar, mostrándonos la opción de borrarlo.

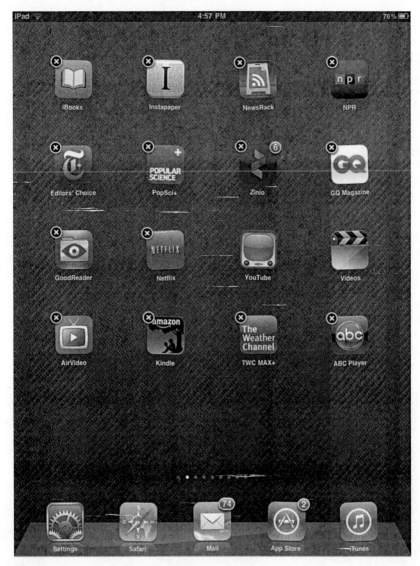

Figura 47

Ahora, simplemente arrastra el icono que deseas mover hacia el margen izquierdo o derecho. Verás cómo se desliza en la dirección deseada la nueva pantalla junto con el icono que está a punto de ser desplazado. Es muy sencillo. Ahora simplemente hay que pulsar para confirmar. Lo tenemos.

4.3.5 Se ordenado y guarda tus archivos en carpetas

No se trata de ir borrando las aplicaciones que te bajas cada vez que se te llene la pantalla de iconos, es posible que quieras crear carpetas donde ir agrupando iconos. Estas carpetas puedes entenderlas como cajones donde guardar aplicaciones, de modo que no ocupen sitio en pantalla. Sólo verás el tirador del cajón, es decir el icono que representa la carpeta. Vamos a hacerlo directamente para entenderlo con mayor claridad.

Primero elige qué aplicaciones vamos a meter bajo la misma carpeta; debes tener al menos dos. En este caso vamos a meter en una carpeta todas las aplicaciones que tienen que ver con la red social Twitter (hablaremos de esto en el capítulo sobre Internet). El proceso se inicia del mismo modo que los ejemplos anteriores: pulsa el icono de la primera aplicación que quieres guardar en una carpeta.

Cuando los iconos comiencen a vibrar, lleva el primer icono sobre la segunda aplicación que quieres que esté incluida en la carpeta. En este caso, como ves en la imagen, vamos a llevar la aplicación "TweetDeck" sobre la aplicación "Twitter".

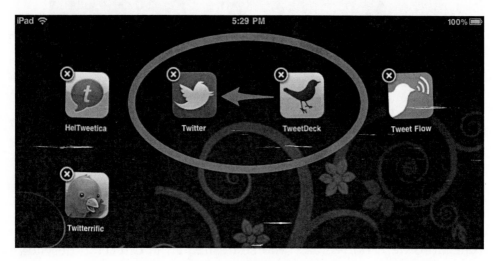

Figura 48

Arrastra sin miedo que no va a pasar nada malo.

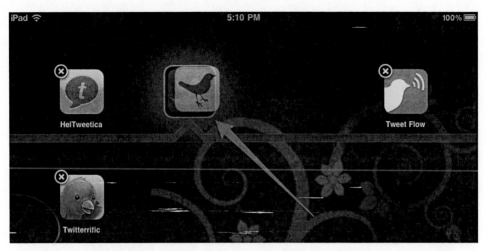

Figura 49

Lo que sucederá una vez pones una aplicación sobre la otra es que aparecerá una nueva ventana. Como puedes ver en la imagen de abajo, esta nueva ventana nos muestra el nombre que tendrá esa carpeta y las aplicaciones que contendrá. Podrás poner un nombre a esa carpeta distinto del que *iPad* nos ofrece por defecto. Pulsando sobre la opción de rechazar ese nombre, podrás cambiarlo y elegirlo tú mismo.

Figura 50

Vamos a cambiar el nombre y denominar a la carpeta "Twitter". En la imagen de abajo te destaco el icono que desde ahora representa la carpeta recién creada en tu pantalla.

Figura 51

Cuando estés listo, pulsa en cualquier sitio de la pantalla y tendrás tu carpeta lista para contener más aplicaciones. Seguro que ya estás imaginando que para poner más aplicaciones dentro de la carpeta, basta con pulsar sobre la aplicación que quieres incluir y esperar a que vibre. Una vez puedas desplazarla, muévela sobre el icono de la carpeta para guardarla allí.

Pulsa el botón de inicio de tu *iPad* una vez hayas terminado. Cada vez que pulses sobre el icono de la carpeta podrás ver el contenido y pulsar sobre cualquiera de las aplicaciones que contiene.

74

4.3.6 Renombrando carpetas

Qué sería de nosotros si creásemos carpetas pero luego no pudiéramos cambiarles el nombre. Tendríamos que borrarlas para volverlas a crear después, y eso es demasiado trabajo.

Para renombrar una carpeta una vez creada sólo tendrás que hacer lo siguiente: pulsar durante un rato encima del icono que representa la carpeta que quieres renombrar. Una vez comiencen a vibrar deja de pulsar. Ahora pulsa de nuevo una sola vez y aparecerá tu ventana de edición de carpetas. Tal y como puedes ver en la siguiente imagen, ahora pulsa sobre la opción de rechazar el nombre de carpeta. Efectivamente es esa "x" pequeñita.

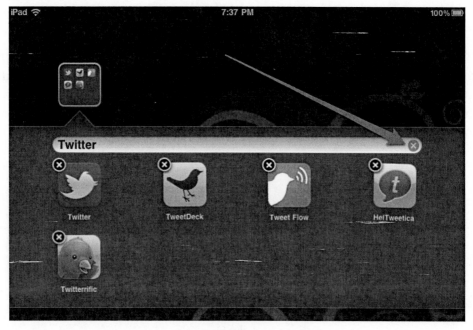

Figura 52

Exactamente igual que cuando creábamos la carpeta de cero, aparecerá el teclado y podremos poner otro nombre a esta carpeta. Pulsa en cualquier sitio neutral de la pantalla cuando hayas terminado.

4.3.7 Saltando de una aplicación a otra

Ya te has dado cuenta que lo que tienes en pantalla cuando abres una aplicación es esa aplicación. Parece una tontería, pero no lo es. Si eres usuario de *Windows* seguro que entiendes lo que estoy diciendo, si no déjame que te lo explique. Cuando haces uso de una aplicación ésta ocupa la pantalla de tu *iPad* y para abrir otra, en principio, tendrás que cerrar la que tienes abierta en ese momento.

Existe una forma de ir de aplicación en aplicación sin tener que abrir y cerrar constantemente. Es un modo de aprovechar las capacidades multitarea que tiene *iPad* en sus últimas versiones.

Para ver qué aplicaciones están funcionando a la vez en un momento dado en tu *iPad* debes localizar el botón de inicio y pulsarlo un par de veces seguidas.

Una vez lo hayas hecho, en la parte inferior de tu pantalla aparecerá una lista de aplicaciones que están abiertas y funcionando en ese momento. Puede que sea intencionado, o puede que sea que no las cerraste cuando dejaste de trabajar con ellas. Deberías ver algo similar a la siguiente imagen.

Figura 53

Si mueves tu dedo hacia la derecha o izquierda sobre esa línea de aplicaciones, podrás ir viendo absolutamente todas las que tienes en ejecución. Es posible que tengas más que las que se pueden ver en una sola línea.

Figura 54

Simplemente pulsa sobre cualquiera de ellas para acceder directamente y abrirla, sin tener que pasar por la pantalla de inicio y búsqueda de su icono en nuestras pantallas. Bonito truco, ¿verdad?

4.3.8 Cerrando definitivamente una aplicación

En los capítulos de introducción no he querido entrar en el detalle de cómo las aplicaciones usan los recursos de tu *Tablet*. Déjame decirte únicamente que los recursos de procesador, memoria y almacenamiento que tiene tu *iPad* se comparten entre las aplicaciones que estén funcionando al mismo tiempo. Si toda la memoria está disponible para una sola aplicación será mucho mejor que tener que compartirla entre doce aplicaciones abiertas, dado que puedes experimentar cierta ralentización en la operativa.

Para que una aplicación deje de funcionar y se cierre definitivamente, basta con realizar la misma operación que en el truco anterior. Doble toque en el botón de inicio para que aparezca esa lista de aplicaciones en la parte inferior de la pantalla.

Ahora simplemente pulsa sobre la aplicación que quieres cerrar hasta que vibre para después confirmar su cierre con un nuevo toque sobre el icono, que verás que tiene el símbolo menos en color rojo.

Figura 55

En modelos más antiguos de *iPad* es posible que estas opciones de multitarea no estén disponibles. En ese caso, para cerrar aplicaciones *Tablet* tendrás que hacer lo siguiente: teniendo la aplicación en pantalla, pulsa el botón de reposo/activación hasta que aparezca en pantalla un deslizador rojo.

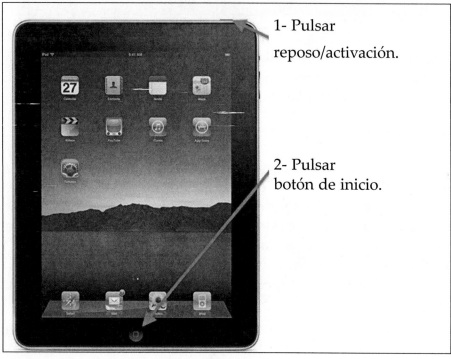

1- Pulsar reposo/activación.

2- Pulsar botón de inicio.

Figura 56

Ahora, suelta el botón de reposo/activación y pulsa el de inicio hasta que la aplicación se cierre y vuelvas a la pantalla de inicio. Con esto habrás cerrado definitivamente tu aplicación.

4.3.9 Más trucos

Algunos de los trucos que hemos descrito hasta ahora los hemos ido descubriendo nosotros poco a poco. Otros, los hemos podido encontrar fácilmente navegando por Internet. Aunque todavía no hemos llegado al capítulo correspondiente a Internet, sí te anticipo que puedes encontrar muchas comunidades sobre *iPad* y *Apple*. En estos foros y comunidades podrás encontrar muchos más trucos y novedades que seguro te serán de mucha utilidad para un mejor uso del *Tablet*.

Entre algunos de estos sitios se encuentran:

- http://gentedeipad.com/
- http://www.ipadforos.com/
- http://www.*Apple*sana.es/
- http://www.macuarium.com/foro/

Te animo a que bucees en éstos y otros sitios que podrás encontrar con una simple búsqueda en Internet. Seguro que encuentras muchos más trucos útiles.

4.4 Aplicaciones imprescindibles para *iPad*

Es obvio que no hay nada imprescindible en esta vida, pero seguramente he captado tu atención. En *App Store* hay una serie de aplicaciones que te serán muy valiosas y que al final se tornarán casi imprescindibles por lo mucho que ayudan a mejorar tu experiencia de usuario con tu *iPad*.

Cada uno tiene su propio criterio, y aunque siempre es muy difícil hacer listas de lo mejor de cada ramo, en este caso hay cierto consenso en que muchas de las que voy a describirte aquí son lo que en inglés se denomina *must have*, o lo que es lo mismo, aplicaciones que debes tener.

Todas podrás descargarlas de *App Store*, algunas serán gratuitas y otras no. Comprobarás que los precios no son como para rechazar la compra. Conviene que sepas que *Apple*, en su tienda de aplicaciones, las divide y clasifica en función de ciertas categorías que se corresponden con la imagen siguiente.

Figura 57

Como has podido comprobar, hay muchas categorías. Dentro de cada categoría, además, tendrás muchísimas aplicaciones, con lo que las posibilidades de aplicaciones que descargar y probar son muy grandes. Como comentamos en capítulos anteriores, aproximadamente unas 200.000 aplicaciones sólo para *iPad* están disponibles a fecha de abril del 2012.

La lista de aplicaciones recomendadas que voy a darte en este apartado no tiene ningún orden de prioridad o preferencia. La hemos elaborado partiendo de nuestra propia experiencia como usuarios, escuchando lo que la gente en Internet dice sobre el asunto y preguntando a los recién llegados al mundo *iPad*. Aunque ya lo sabes, te recuerdo que debes entrar en la aplicación *"App Store"* para comenzar tu visita a la tienda virtual de aplicaciones. Vamos directos a ver la lista.

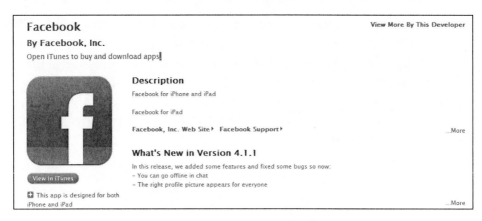

Figura 58

La primera aplicación de la que voy a hablarte es la aplicación de *Facebook*. Supongo que ya conoces esta red social que ha cambiado el mundo de Internet. Si no la conoces, en el capítulo sobre Internet te contaré todo sobre ella. Con esta aplicación en tu *iPad* podrás controlar tu perfil de *Facebook* de un sólo vistazo, siendo muy sencillo el subir nuevas fotos, actualizaciones o vídeos que te permitan seguir relacionándote con tu entorno de amigos en *Facebook*. Es una aplicación que te será de gran ayuda, facilitándote el intercambio de información con tus amigos de *Facebook* y haciendo sencillo que compartas el contenido que tienes en tu *iPad*. También podrás chatear con el sistema de mensajería instantánea.

Figura 59

Spotify es un viejo conocido entre los más experimentados con la informática e Internet. Se trata ahora de la versión para *iPad* de esta gran aplicación. Spotify te permite buscar entre miles y miles de artistas y canciones, escuchar su música y crear listas de reproducción que podrás compartir con otros usuarios. Será difícil buscar un artista y no encontrarlo en Spotify. Es tu ventana abierta a todas las discográficas, a un par de segundos de distancia.

Figura 60

En este momento necesitarás tener una cuenta Premium de *Spotify* para disfrutar de la música disponible para *iPad*. Esta cuenta suele ser gratis los primeros 30 días de prueba, así que aprovecha, descárgala y ponte a escuchar un montón de música que creías olvidada.

Figura 61

Si quieres una alternativa 100% gratuita aunque quizá no tan potente o deslumbrante, puedes descargar la aplicación "Goear Mobile". En la anterior imagen tienes su icono, para que lo puedas identificar rápidamente en la tienda virtual.

Figura 62

Vamos a hablar ahora de *Flipboard*. Ésta es una aplicación tremendamente interesante para estos tiempos locos que vivimos en que tenemos cuenta de *Facebook*, *Twitter*, *Tuenti* y otras redes sociales. Si aún no tienes, seguro que cuando leas el capítulo sobre Internet acabas teniendo una de cada.

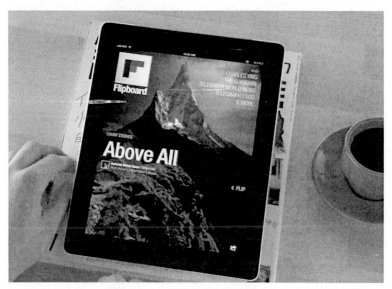

Figura 63

Flipboard, de manera mágica, crea una revista muy atractiva a partir del contenido que han actualizado tus amigos en *Facebook*, nuevos tweets en Twitter o sitios web que están en tus preferidos. En lugar de tener que mirar tu web de noticias favorita, luego tu diario deportivo, más tarde ver qué han hecho tus amigos en *Facebook*, etc... *Flipboard* compila toda esa información por ti de manera regular y te crea una revista con un diseño muy manejable. No puedes dejar de probarla, te la recomiendo encarecidamente.

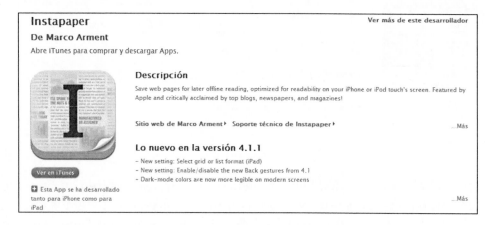

Figura 64

Haz sitio para esta aplicación: *Instapaper*. Con ella podrás descargar el contenido de periódicos y revistas online, blogs de tu interés o cualquier otro tipo de página web a tu *iPad* mientras tienes una conexión a Internet. De este modo, cuando no dispongas de conexión, podrás leer todo ese contenido, dado que *Instapaper* lo ha puesto en tu dispositivo de almacenamiento local para ti, es como si aún tuvieras conexión.

Por ejemplo, puedo guardar mi diario de información económica favorito, para después en el avión de vuelta a casa poder leerlo, aunque no disponga de conexión a Internet en el vuelo. Muy útil en muchas situaciones. Ya sabes, hay que probarla.

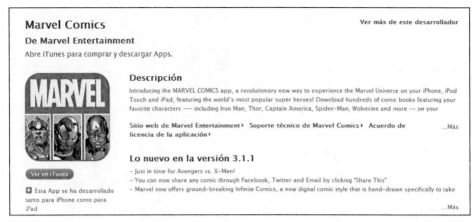

Figura 65

Con la aplicación "Marvel Comics" podrás tener al alcance de tu *iPad* todo el universo Marvel, cada vez más de moda en cine con títulos como *Lobezno*, *Los Vengadores* o *Thor*. Podremos acceder, por supuesto, a muchos de los cómics de los superhéroes, pero también a contenido extendido antes no presente en las versiones de papel. Hará las delicias de los pequeños de la casa, instálala y pasa un rato divertido en el mundo de los superhéroes.

Figura 66

"Adobe Photoshop Express" es una aplicación de retoque fotográfico para tu *iPad*. Adobe Photoshop es el programa de ordenador más empleado en los ordenadores de todo el mundo y uno de los más potentes en lo que a edición de imágenes se refiere.

Figura 67

En esta versión para *iPad*, denominada "Express", tendrás innumerables posibilidades para alterar las fotos con efectos, mejorarlas, añadir marcos o bordes, crear nuevos *collages* o compartir imágenes en *Facebook* y demás redes sociales. Anímate a probarla y verás qué pronto la dominas. Tus fotos empezarán a tomar otro aspecto.

Figura 68

Dado que estamos con temas artísticos, déjame que te hable de "ArtRage" para *iPad*. Esta aplicación, que tiene su origen en *iPhone*, te permite dibujar y expresarte artísticamente con herramientas totalmente profesionales. Funciona como la pintura real, teniendo en cuenta texturas o mezcla de colores aún no secos, trazos de pinceles y diferentes opciones de materiales.

Figura 69

Merece la pena que la descargues, porque los resultados que puedes obtener de manera muy sencilla son espectaculares. La imagen que puedes ver sobre estas líneas corresponde al artista portugués Jorge Colombo. Hecha con sus dedos y un *iPhone*, fue portada de la revista *The New Yorker*. Imagina lo que podrás hacer tú con tu *iPad*.

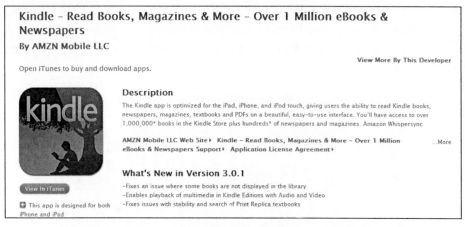

Figura 70

Como ya hemos comentado en el primer capítulo de este libro, Amazon *Kindle* es un lector de libros electrónicos de la compañía Amazon, gigante de la venta de libros online. La aplicación *Kindle* para *iPad* te permite acceder a todos esos libros en formato electrónico que hasta ahora sólo se podían leer si tenías un dispositivo Amazon *Kindle*.

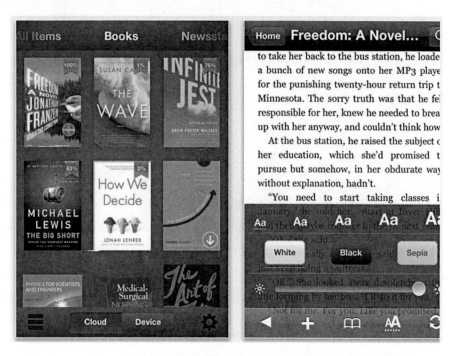

Figura 71

Tenemos a nuestra disposición cerca de un millón de libros electrónicos y revistas, algunos gratis y otros de pago. Podrás comprar los libros directamente desde tu *iPad* visitando la tienda online de Amazon. Te aseguro que podrás encontrar casi de todo. Sin duda, merece la pena que tengas esta aplicación.

Figura 72

Pasamos ahora de los temas artísticos a los culinarios. "Epicurious" es una aplicación-recetario, disponible en español, con más de 30.000 recetas de cocina creadas por profesionales. No sólo podrás buscar recetas, también podrás marcar algunas como favoritas, crear listas de la compra vinculadas a las mismas o incluso compartir recetas vía *Facebook* o *Twitter*. Realmente útil y muy apetitosa.

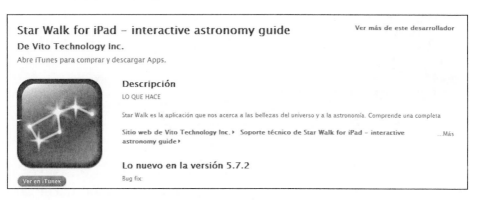

Figura 73

Si alguna de las recetas anteriores te hace ver las estrellas, qué mejor que una aplicación para no perdernos ninguna. *Star Walk* nos permite convertir nuestro *iPad* en una completa guía estelar.

Figura 74

Simplemente orienta tu *iPad* hacia el cielo y deja que él te indique las estrellas que estás viendo. Parece magia, pero es una delicia que debes descargar de manera inmediata.

Figura 75

Déjame que te hable ahora de la aplicación *Penultimate*. Consiste en una aplicación que nos permitirá tomar notas, crear bocetos o hacer anotaciones sobre imágenes, todo ello escrito a mano sobre la pantalla.

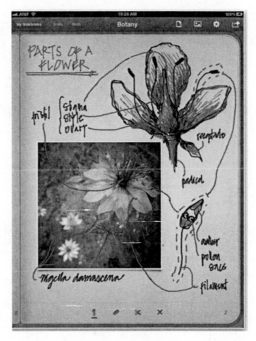

Figura 76

Penultimate te dejará seleccionar diferentes tipos de papel sobre el que escribir, diferentes tipos de trazos, enviar y compartir en muchos formatos, incluido el universal PDF. Es una aplicación que te hipnotizará y no podrás dejar de usar. ¿A qué esperas?

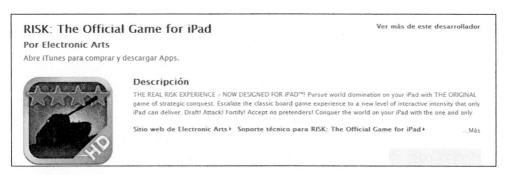

Figura 77

Por último, algo para relajarnos. ¿Recuerdas el juego de tablero *Risk*? La aplicación *Risk* nos ofrece las mismas sensaciones que el juego original pero sobre nuestro *Tablet*.

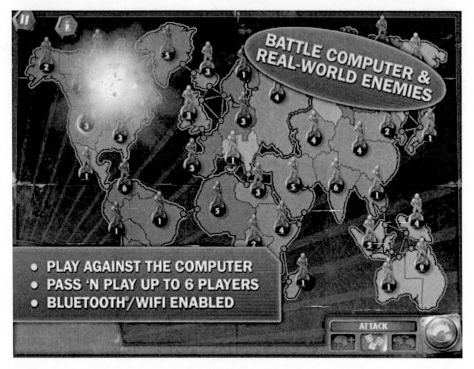

Figura 78

Podremos jugar contra el ordenador o con amigos, ya sea en persona o mediante *Bluetooth* o WIFI. Te aseguro que no podrás parar de jugar, buscando y batiéndote contra nuevos enemigos que te harán sudar la gota gorda.

Además de este listado de aplicaciones que debes descargar, no olvides experimentar con las aplicaciones que *iPad* nos ofrece por defecto. Son de mucha utilidad y de una calidad excelente. Estoy hablando de *Safari*, para navegar por Internet, *iBooks*, como aplicación de lectura de libros electrónicos, *Mail*, donde podrás crear y trabajar con una dirección de correo de manera fácil e intuitiva, *FaceTime*, para poder hacer vídeoconferencias con otros usuarios de *iPad*, o *Photo Booth*, con la que podrás retocar fotografías y crear efectos muy divertidos.

Photo Booth

Pon tu cara más divertida y deja que Photo Booth la inmortalice en el iPad. Después es el turno de tus amigos. Posa para la cámara, aplica un efecto y comparte la foto si tienes narices. Y ojos. Y orejas.

Figura 79

Juega con las aplicaciones que *iPad* te ofrece por defecto y familiarízate con ellas, es tu pasaporte a disfrutar más de tu dispositivo.

Con esto terminamos el repaso a *iPad* en detalle. Si tienes ganas de saber más, te animo a que entres a formar parte de las numerosas comunidades *iPad* que existen en Internet, donde estarás siempre informado de las últimas novedades y aplicaciones.

Tablets Android
en detalle

5

Capítulo 5

Tablets Android en detalle

5.1 Introducción

Espero que no hayas abierto el libro directamente por este capítulo. Sería una pena que te hubieras perdido las explicaciones previas sobre qué es y para qué sirve una aplicación. Incluso el capítulo sobre *iPad* te será de utilidad para asentar muchos de los conocimientos que estás a punto de adquirir. Si has sido un buen alumno continuamos, si no, vuelve al principio ¡por favor!

Hemos comentado en varias ocasiones durante los capítulos previos que *Android* es un sistema operativo inicialmente desplegado en teléfonos móviles. Pertenece a Google y para disfrutar de muchos de sus beneficios necesitarás una cuenta de Google Mail, o como muchos la conocen, cuenta de Gmail.

Android, por su buen funcionamiento y precio asequible, ha sido adoptado por multitud de fabricantes de *Tablet*. Ellos ponen el *hardware* del *Tablet*, es decir, la parte física: memoria, procesador y disco duro, mientras que Google, con *Android*, les proporciona un sistema operativo para poder interactuar con el *Tablet* y aprovechar esos recursos físicos. Además, cuenta con la ventaja de que es muy sencillo de manejar.

Obviamente, *Android* debe mucho al sistema operativo de *Apple*, *iOS*. No en vano, surge al rebufo del éxito de *iOS* en los teléfonos *Apple*. A modo de curiosidad te diré que la base sobre la que *Android* está construido se llama Linux, un sistema operativo para ordenadores gratuito creado por el finlandés Linus Torvalds con sólo 21 años de edad.

96

Figura 80

Android fue desarrollado inicialmente por la compañía *Android* Inc., comprada en 2005 por Google. Los desarrolladores de *Android* Inc., integrados ya en el equipo de Google, presentan las primeras patentes de sistema operativo para móvil sólo dos años después. Es en septiembre del 2008 cuando sale a la luz la primera versión de *Android*, que se denomina *Android* 1.0.

A partir de entonces, *Android* ha experimentado un enorme crecimiento, siendo la apuesta de numerosos fabricantes de teléfonos móviles y ahora de muchos fabricantes de *Tablets*.

Entre los *Tablets* con sistema operativo *Android* que puedes encontrar en el mercado se encuentran: *Samsung Galaxy, ASUS Eee Pad, Sony,* Motorola *Xoom, HTC Flyer*, etc., por mencionar solamente algunos.

Es difícil hacer una caracterización estándar de un *Tablet Android* del modo que hemos hecho con *iPad*. Esto es debido a los numerosos fabricantes de *hardware* para *Tablets Android* que hay en el mercado, unido, a su vez, a que también emplean distintas versiones de sistema operativo. También los hay de diferentes tamaños y con diferentes funcionalidades. Tomemos como ejemplo las *Samsung Galaxy Tab*.

Figura 81

Este *Tablet* puedes encontrarlo en numerosas medidas, con pantallas desde 7,7 a 10,1 pulgadas y diferentes pesos y grosores en función de la versión. Algunos emplean el sistema operativo *Android* 3.0, mientras que otros ya incorporan *Android* 3.1. Algunas versiones incorporan WIFI y otrás WIFI más 3G. Como ves, incluso dentro del mismo fabricante y modelo existen diferentes versiones para todos los gustos y todos, o casi todos, los precios.

Si abrimos el abanico de *Tablets* a todos los fabricantes y versiones de sistema operativo *Android*, tendrás una amplia gama de *Tablets* donde escoger en función de las funcionalidades, precio y medidas. Se trata de encontrar el que más se ajuste al uso que le quieras dar, si es que no lo has hecho ya.

5.2 Android para todos. Lo básico

Entre tanta heterogeneidad, lo que sí es común a todos estos *Tablets* es el funcionamiento del sistema operativo *Android*. Puede que haya peque-ñas diferencias en función de la versión que tengamos en nuestro *Tablet*, pero la funcionalidad básica que vamos a describir es común a todas las versiones.

Android es un sistema operativo que se basa en el uso de aplicaciones para facilitar las tareas al usuario. De manera similar al *iPad*, las aplicaciones se representan en pantalla mediante iconos que podemos pulsar para hacer uso de la funcionalidad que ofrece esta aplicación. Como hemos ido repitiendo a lo largo de estas líneas, el uso de aplicaciones facilita que incluso los más reacios a aprender algo de informática sean capaces de dominar un *Tablet* en muy poco tiempo.

También hace uso de una tienda virtual que centraliza todas las aplicaciones que puedes descargar en tu *Tablet*. Esta tienda virtual ahora se llama Google Play. *Android* cuenta con más de 400.000 aplicaciones desarrolladas por un numeroso grupo de programadores tratando de hacerse un hueco en el mercado. Necesitarás una cuenta de Gmail para poder descargar aplicaciones de esta tienda, pero no te apures, en el capítulo dedicado a Internet te daré los detalles de cómo crear tu cuenta de Google Mail.

En los *Tablets Android* podrás encontrar algunos botones básicos para controlar su funcionalidad. Como puedes ver en la siguiente imagen, se encuentran en la parte inferior izquierda.

Figura 82

Aunque probablemente ya los has pulsado y sabes para qué sirven, no vendrá mal un poco de repaso.

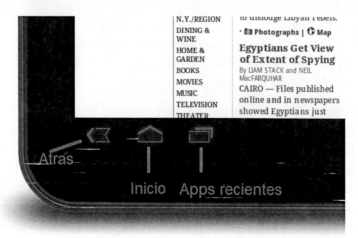

Figura 83

Los botones de "Atrás" e "Inicio" nos permitirán navegar por las aplicaciones. Para salir de la aplicación que estés utilizando puedes pulsar "Atrás". En cualquier momento puedes pulsar el botón de "Inicio" para volver a la pantalla de Inicio.

Si pulsas el botón "Apps recientes" podrás regresar a alguna de las aplicaciones que has usado recientemente. No hace falta que te comente que si deslizas tus dedos hacia la izquierda o derecha de tu pantalla, como tratando de pasar página, nuevas pantallas con más sitios para poner nuevos iconos aparecerán ante ti. Tendremos hasta cinco de estas pantallas disponibles.

Hasta aquí, nada que seguramente no hayas experimentado por ti mismo o puedas leer en los manuales. En cualquier caso, conviene que lo tengas claro.

También es importante que tengas claro algunos otros puntos clave para manejar *Android* y su entorno de aplicaciones. Tal y como ves en la imagen siguiente, te he destacado dos áreas.

100

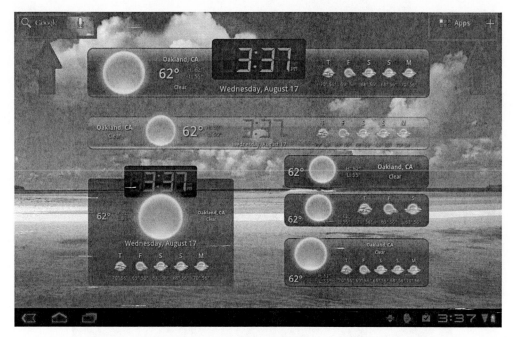

Figura 84

La parte superior derecha nos muestra dos iconos importantes. El primero es el de "Apps", que nos dará acceso a manejar las diferentes aplicaciones que tenemos instaladas. El segundo, con un símbolo más, nos permitirá añadir los iconos que representan aplicaciones a través de las cinco pantallas disponibles.

En este sentido *Android* funciona de manera distinta a *iPad*. Todas las aplicaciones que descarguemos no aparecerán de manera inmediata en la pantalla representadas por un icono. Las tendrás bajo la carpeta de Apps que acabamos de ver, ya instaladas pero sin el icono en la pantalla. Tú decides si pones el icono en pantalla o no. De este modo es sencillo ser un poco más ordenado y no llenar las diferentes pantallas de iconos que apenas usamos en nuestro día a día.

En la parte superior izquierda tienes iconos que representan la búsqueda en el buscador de Google, o bien tecleando tú el texto o bien dictando los términos de búsqueda. Además funciona bastante bien. ¡Pruébalo si no lo has hecho ya!

Para ir a la zona de ajustes de *Android* debes pulsar sobre el área de notificación inferior derecha, donde se encuentra el reloj, allí encontrarás el enlace para la pantalla de ajustes. Fíjate, es en la parte donde se puede leer "Ajustes" (en Inglés *Settings*), donde accederás a los posibilidades de personalización de tu *Tablet*. Además, tendrás la posibilidad de modificar ciertas opciones, como seleccionar el modo avión, brillo o ajustes WIFI.

Figura 85

La pantalla de ajustes tiene un aspecto similar al que puedes ver abajo. En la parte izquierda tienes las diferentes áreas sobre las que modificar los ajustes, en la parte derecha sus valores actuales.

Figura 86

Una cosa más que debemos saber tiene que ver con la aplicación que vamos a emplear para navegar por Internet. La aplicación que tenemos disponible por defecto para navegar por Internet la puedes encontrar en tu pantalla principal y tiene el nombre de "Internet" (en inglés *Browser*). Búscala, pulsa sobre ella y a disfrutar de Internet.

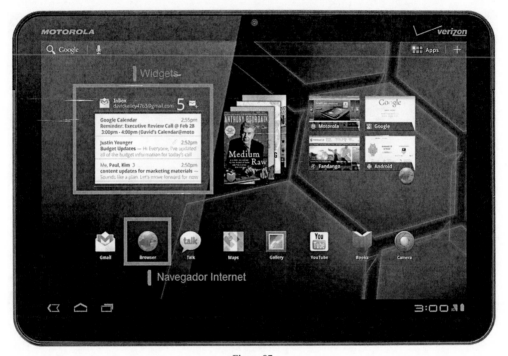

Figura 87

Como puedes ver en la imagen anterior, he resaltado otro área de la pantalla que he denominado "widgets". Los widgets son como los iconos que representan las aplicaciones que puedes tener en pantalla pero con una diferencia principal: están "vivos".

Tranquilo, no me he vuelto loco, lo que quiero decir es que el widget de Google Mail, por ejemplo en la imagen anterior, nos ofrece indicaciones en pantalla de los correos que tenemos en la bandeja de entrada e incluso una pequeña visualización del texto en tiempo real. Sin el widget tendríamos que pulsar sobre la aplicación de Google Mail y abrirla para revisar nuestro correo. ¿Entiendes el concepto? Los widgets realizan funciones y nos ofrecen datos sin tener que pulsar sobre aplicación alguna.

No te olvides que para entrar en Google Play y descargar aplicaciones de la tienda virtual, ya sean gratuitas o de pago, tendrás que abrir de nuevo el icono de la parte superior derecha Apps. Dentro de la pantalla que se despliega, busca el icono que representa la tienda Google Play, en la parte superior derecha de nuevo.

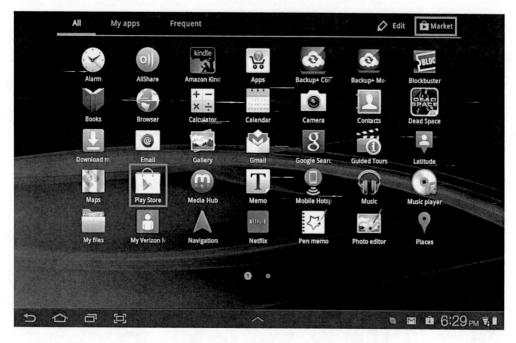

Figura 88

En las versiones más antiguas de *Android* se accedía a la tienda virtual a través de una aplicación denominada *Marketplace* ¿Te suena su icono?

Figura 89

Hemos cubierto lo más básico para que te lances a disfrutar de *Android*. Baja y prueba nuevas aplicaciones, juega con los ajustes, sólo equivocándote y volviéndote a encontrar irás sumando conocimientos nuevos.

5.3 Algún truco para Android

¿Te apetece conocer algún truco que va más allá del funcionamiento básico? ¿Te sientes preparado o preparada? En este capítulo vamos a describir algunos atajos útiles que otros usuarios de *Android* han descubierto y que pueden ahorrarte tiempo, sin ningún orden de prioridad. Abróchate el cinturón.

5.3.1 Ver las páginas web sin formato móvil

No sé si lo habrás experimentado ya, pero es muy probable que te suceda. Cuando estás navegando por Internet con tu *Tablet*, algunas páginas tienen un aspecto distinto al que estás acostumbrado a ver cuando navegas con tu ordenador. No te preocupes, es normal. La mayoría de las páginas tienen una versión diferente en función de si la estás viendo con ordenador o con un dispositivo móvil. Te puedes imaginar por qué, ¿no? Lógicamente, la pantalla de un móvil no es apta para visualizar algunas páginas que sí podemos ver en nuestro PC. Además, la conexión a Internet con nuestro móvil tampoco es tan potente como la de un ordenador, así que esas páginas llenas de fotos y menús tardarían mucho en aparecer en el móvil, causándote gran frustración.

Cuando navegas con tu *Tablet Android*, algunas páginas de Internet creen que estás accediendo con un móvil *Android*, así que veremos la versión móvil reducida. Para que esto no suceda, veamos qué podemos hacer.

Una vez tienes abierta la aplicación *Browser* que te permite acceder a Internet, en la parte derecha tienes la posibilidad de cambiar sus ajustes.

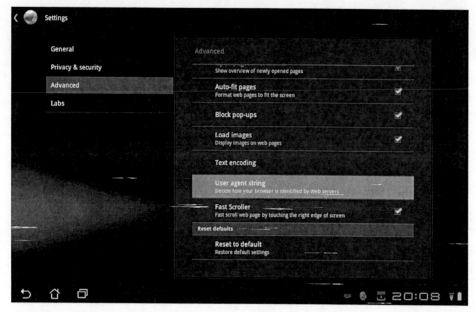

Figura 90

Pulsa y, en la nueva ventana, vuelve a pulsar en la parte de ajustes avanzados. Vamos a cambiar algo denominado *User Agent String*.

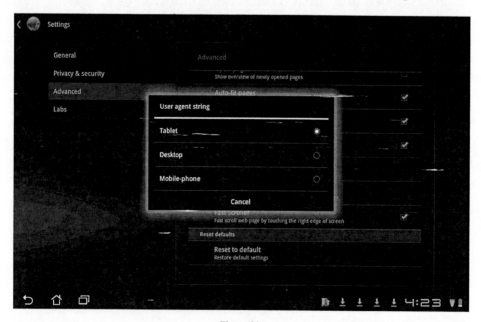

Figura 91

Ahora, de los posibles valores que podemos ajustar, seleccionamos *Tablet* o *Desktop*, pero no selecciones la opción de teléfono móvil. Con esto habremos terminado y podremos ver hasta las webs más escurridizas en formato normal.

5.3.2 Mandando la conexión WIFI a dormir

Es genial cuando la batería dura y dura. Podemos movernos con el *Tablet* por nuestra casa, totalmente despreocupados, lejos de cualquier cargador. Para hacer que la batería tenga mayor tiempo de operación conviene que tu *Tablet* sea capaz de desactivar la conexión WIFI en según qué situaciones.

Para hacer esto, simplemente abre los ajustes de tu *Tablet Android*. ¿Recuerdas dónde?

Figura 92

Efectivamente, en la parte inferior derecha de tu *Tablet*. Una vez en los ajustes, simplemente localiza los ajustes WIFI en la primera línea de la parte izquierda, tal y como puedes ver en la siguiente imagen.

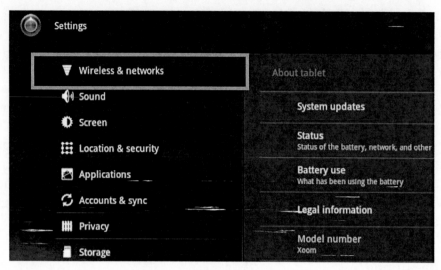

Figura 93

Ahora tenemos que buscar las opciones de *WIFI Sleep Policy*, que nos permiten modificar el modo en que nuestra red WIFI se desconecta automáticamente.

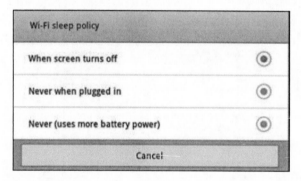

Figura 94

Te recomiendo que selecciones la opción de desactivación WIFI cuando la pantalla se apague, la primera opción de la lista. Te ayudará a mantener tu batería con vida durante más tiempo.

5.3.3 Acelerando tu navegación por Internet

¿Algunas páginas web tardan años en cargar? No pierdas la paciencia. Podemos tratar de hacer algún ajuste que nos permita navegar un poco más rápido. Volvamos a nuestra página de ajustes del navegador de Internet, nuestro *Browser*, tal y como hicimos en el ejemplo anterior.

Una vez dentro de la página de ajustes de nuestro navegador, buscamos los ajustes de *Debug*, tal y como ves en la imagen siguiente.

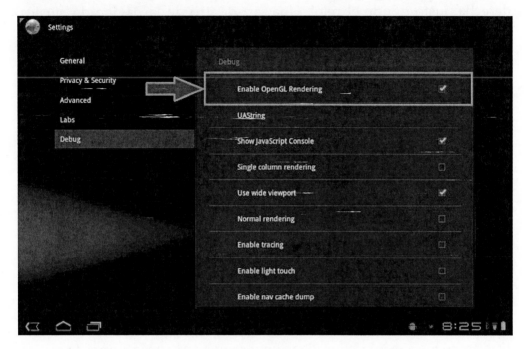

Figura 95

Dentro de estos ajustes, debemos desactivar la opción *Open GL Rendering*. Con esto conseguiremos que muchas webs que se toman su tiempo en aparecer en tu pantalla aparezcan de inmediato. No es universal y es posible que no funcione para todas las webs perezosas, pero no pierdes nada por probarlo.

5.3.4 Encriptando el contenido de tu *Tablet*

Quizá el título de este apartado te ha sonado a hechizo medieval, pero nada más lejos de la realidad. Encriptar en este mundo informático significa cifrar los datos de modo que las personas ajenas a nuestro *Tablet* no puedan acceder a los archivos que guardamos en los dispositivos de almacenamiento. Imagina que pierdes tu *Tablet* o accidentalmente alguien te la "coge prestada". Sin la encriptación es posible que puedan ver las fotos que tienes guardadas, tus discos o tus documentos. Conviene que encriptemos, ¿verdad?

Volvemos a los ajustes de nuestro *Tablet*, pulsando en la zona inferior derecha, justo donde el reloj. Una vez dentro de la página de ajustes, debemos buscar las opciones de localización y seguridad.

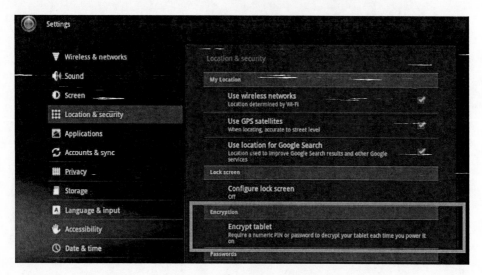

Figura 96

Dentro de los ajustes de localización y seguridad encontramos la opción de encriptar nuestro *Tablet* con un PIN o contraseña, que nos será solicitado cada vez que encendamos el dispositivo.

Antes de comenzar, asegúrate que tienes el *Tablet* con la batería cargada. Una vez selecciones la opción de encriptación, se iniciará un proceso en el que los datos actuales serán cifrados. Puede que tarde un rato, se paciente, es por tu seguridad. Cuando el proceso termine, tus datos estarán a salvo de manos distintas a las tuyas.

5.3.5 Desinstalando aplicaciones que no quieres

Hay muchas aplicaciones en el mercado de aplicaciones Google Play. Muchas gratis que bajarse y probar. Muchas querremos mantenerlas porque son útiles y las emplearemos en el futuro próximo. Sin embargo, ¿qué hacer con todas aquellas que ya no usamos y que están ocupando sitio en la pantalla y el disco duro? Podemos desinstalarlas del *Tablet* casi tan fácil como fueron instaladas.

Figura 97

Antiguamente era un poco más difícil el borrar aplicaciones de los dispositivos con sistema operativo *Android*, ahora es muchísimo más sencillo. Simplemente pulsa sobre el icono que representa la aplicación que deseas borrar. Mantén pulsado hasta que tengas la opción de arrastrar el icono sobre el icono de desinstalación o papelera. Así de sencillo.

5.4 Aplicaciones que debes instalar en tu *Tablet*

En este apartado voy a tratar de recomendarte una serie de aplicaciones que por uso masivo o calidad destacan sobre las demás. Algunas son gratuitas, otras de pago, pero todas tienen un propósito concreto y pueden serte de utilidad a la hora de sacar partido a tu *Tablet*.

El mundo de las aplicaciones cambia muy rápido, es posible que para cuando leas esto alguna nueva haya desbancado a la que te recomiendo, pero seguro que a partir de una serás capaz de encontrar si existe una más nueva o mejor. Sobre gustos no hay nada escrito. También habrá personas que piensen que en esta lista faltan o sobran aplicaciones. Si esto es así, es porque hay muchas y de calidad donde elegir. Por último, decirte que esta lista no tiene ningún orden de prioridad concreto.

Figura 98

"Pulse" es la primera que te voy a recomendar. Puedes descargarte e instalar ésta y todas las demás aplicaciones que voy a recomendarte del Market de aplicaciones.

Ésta es una aplicación que te permite seleccionar diferentes fuentes de noticias y sitios de Internet, presentando después toda la información en un atractivo diseño de mosaico, como puedes ver en la imagen anterior. Cuenta con una foto y un pequeño texto correspondiente a la noticia, que más tarde podrás pulsar para tener la información completa. Imagina que agregas tu diario deportivo favorito, algún diario de información nacional, prensa del corazón y una revista de divulgación que te encanta. "Pulse" te mostrará el contenido de todas esas fuentes mezcladas y en pequeños mosaicos. Estos mosaicos representan noticias que podrás ir leyendo y seleccionando. De un solo vistazo tendrás ya un montón de información útil sin tener que acceder primero a la página del diario deportivo, luego a la página del diario de información, etc. Ahorra mucho tiempo el tenerlo todo junto y sobre un mismo formato, anímate y descárgala, seguro que te es útil.

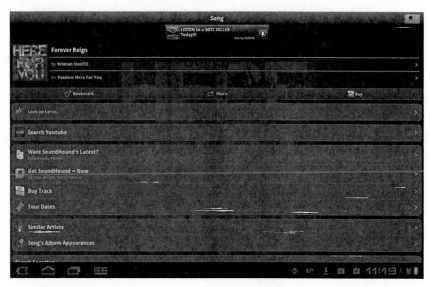

Figura 99

La aplicación que te recomiendo ahora es *SoundHound*. Es una aplicación que te permite escuchar música a través del micrófono de tu *Tablet*, para después identificar al artista y la canción que estás escuchando. Es muy útil cuando está sonando esa canción que nunca sabes quién canta. Simplemente pon *SoundHound* a funcionar y en un instante tendrás el nombre del artista en pantalla. ¿Que no te lo crees? Descárgatela y ponla a prueba, te sorprenderás.

Figura 100

Si no conoces aún el fenómeno *Angry Birds* debes ponerte al día inmediatamente. *Angry Birds* es un juego para tu *Tablet*, no todo va a ser trabajar. Ha alcanzado una tremenda fama por sus excelentes gráficos y su increíble nivel de adicción. Es un juego multiplataforma que en *Apple* ios también existe. Una vez empiezas a jugar te engancha totalmente y te verás sumergido en un mundo de pájaros enfadados y puzles lógicos que harán trabajar a tu mente. Existen diferentes versiones, cada uno con su mundo particular pero con la misma temática base. En este caso la figura de la imagen siguiente es la versión del juego denominada *Angry Birds Rio*.

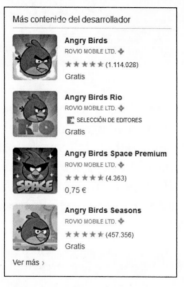

Figura 101

No quiero desvelarte más sobre el juego en sí, te invito a que lo descargues y lo compruebes por ti mismo. No podrás parar.

Figura 102

Hora de mirar las estrellas con *Google Sky Map*. Con esta aplicación gratuita de Google podrás tener un mapa de las estrellas que además se mueve en función de hacia donde orientes tu *Tablet* con el cielo estrellado de fondo. *Google Sky Map* es capaz de decirte hacia qué constelación apunta tu *Tablet*. El aspecto es similar al que tienes en la imagen anterior. Puedes hacer que se muestren constelaciones, planetas, estrellas. Una maravilla digna de probarse.

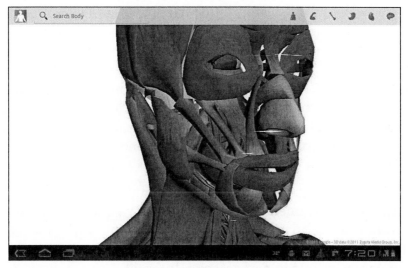

Figura 103

Con la imagen anterior seguramente ya has adivinado de qué se trata en esta nueva aplicación. "Google Body" es una aplicación que nos permite viajar por el cuerpo humano en tiempo real. Podrás hacer *zoom* sobre cualquier parte de nuestra anatomía, seleccionando el tipo de contenido que quieres visitar. Así que ahora, cuando el médico te hable de ese tendón que no te suena de nada, con "Google Body" no se te escapará ni un concepto.

Figura 104

Hablamos de nuevo de otra aplicación de Google, en este caso "Google Drive". No en vano *Android* fue desarrollado por Google. "Google Drive" es una aplicación que te permitirá trabajar con documentos, crear y editar hojas de cálculo, hacer presentaciones complejas y demás operaciones que puedes hacer con el conocido paquete Office de Microsoft, pero con algunas limitaciones. Además, te permitirá almacenar el contenido en un disco duro que Google pone a tu disposición y que se llama "Google Drive". Este disco duro está en algún servidor de Google dentro de Internet y tú accederás a él mediante esta aplicación. Es lo que se llama un disco duro en la nube, puesto que no lo tienes tú en tu ordenador o guardado en el cajón de casa.

Es una buena forma de asegurarnos de que nuestros documentos no sólo están disponibles localmente en nuestro *Tablet*, ya que en caso de pérdida, robo o rotura del disco duro de tu dispositivo no podríamos recuperarlos. Si los tenemos también en "Google Drive" podremos acceder a ellos desde cualquier otro sitio con acceso a Internet.

Figura 105

Turno ahora para *"File Manager HD"*. Con esta aplicación podrás navegar por los dispositivos de almacenamiento de tu *Tablet*, del mismo modo que estás acostumbrado a hacer con *Windows* y el explorador de archivos. ¿Todavía no caes? Mira la imagen siguiente y entenderás lo que digo:

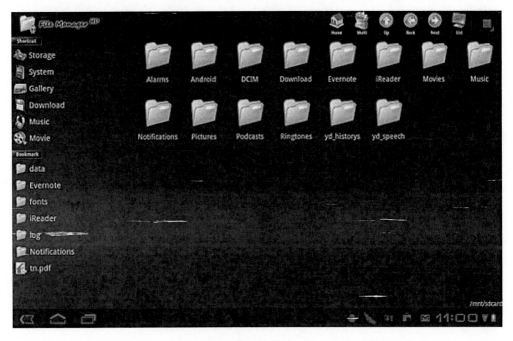

Figura 106

El aspecto gráfico es similar a lo que estás acostumbrado a ver en *Windows*, con carpetas donde se guardan tus archivos descargados, la música que hayas traspasado o las fotos. Te será fundamental si quieres mover información de un dispositivo a otro con total sencillez.

Figura 107

Cambio de tercio para hablarte de *Skitch*, una aplicación en principio pensada para los más pequeños, pero que acaba siendo la favorita de muchos mayores.

Figura 108

Consiste en una pizarra borrable sobre la que podremos dibujar. En realidad podrás hacer muchas más cosas, pegar fotos, editarlas, dibujar formas, agregar texto, etc. Las posibilidades son muchas y seguro que encuentras el momento adecuado donde emplearla.

118

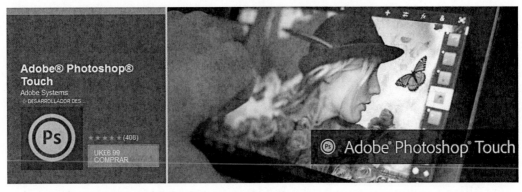

Figura 109

Ya que estamos con el tema de las imágenes, vamos a hablar de otra aplicación muy útil: *Adobe Photoshop Touch*. Se trata de una versión *Tablet* del famoso programa de edición de fotos Photoshop. Con esta aplicación podrás realizar cosas realmente sorprendentes.

Figura 110

No solamente podrás editar tus fotos con un montón de opciones profesionales, tendrás algunas otras, como rellenar una superficie con lo que se puede ver a través de tu cámara, que te dejarán con la boca abierta. Además, subir tus fotos editadas a *Facebok* te supondrá sólo un instante. No esperes más y prueba está aplicación.

Figura 111

Por último, déjame que te hable de *Skype*. Seguramente ya la conoces o te han hablado de ella. Es una aplicación que te permitirá tener vídeollamadas con otra persona que tenga *Skype*, todo de manera gratuita. También podrás llamar a números de teléfono tradicionales del tipo 91890XXXX, pero para eso necesitarás comprar créditos. Para llamar desde *Skype* a otro usuario de *Skype*, ya sea con vídeo o sólo por voz, no necesitarás pagar, es gratuito.

Figura 112

Skype es multiplataforma. Tú puedes tener *Skype* en tu *Tablet Android* y la persona con la que hablas puede tener *Skype* en su móvil, en su ordenador o en otra marca de *Tablet*. Es una de las razones por las que es tan potente. Para usar *Skype* tendrás que registrarte y crearte un usuario. En el capítulo sobre Internet te doy unas pistas, aunque es algo bastante sencillo. No tengas miedo y anímate a probarlo.

Con esto termino de recomendarte algunas aplicaciones. No dejes de curiosear en la tienda de aplicaciones de *Android*, Google Play, para ver qué nuevas aplicaciones han salido al mercado, cuáles son las más recomendadas o cuáles tienen un mayor número de descargas. Pruébalas sin miedo y si alguna no te gusta, ya sabes cómo desinstalarla. Recuerda que las aplicaciones están aquí para hacer tu vida más sencilla, déjales hacer su trabajo. No sólo podrás encontrar aplicaciones, también verás cómo puedes acceder a otro tipo de contenido como libros, música o películas.

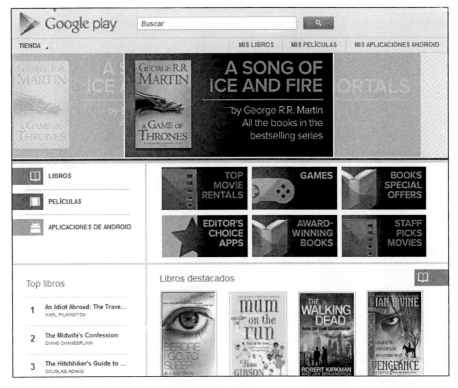

Figura 113

Si deseas conocer más sobre las *Tablets Android*, nuevos modelos o aplicaciones, te sugiero que te introduzcas en algunas de las comunidades disponibles en Internet. Podrás ampliar mucha información y estar siempre a la última en este mundo. Entre los sitios webs te puedo recomendar los siguientes:

- http://www.todoandroid.es/
- http://www.androidTablets.net/
- http://www.android.es

Espero que te sean de ayuda. Seguro que navegando en Internet eres capaz de encontrar muchos otros sitios con información interesante.

En el siguiente capítulo vamos a abordar otros tipos de *Tablets* que en este momento no son tan mayoritarios como los que hemos visto en detalle en apartados anteriores. Es posible que alguno de ellos nos depare una sorpresa muy importante en el futuro próximo, ocupando una tremenda cuota de mercado. También es posible que otros formatos o tipos tiendan a desaparecer por falta de masa crítica. Lo que lees ahora es el estado del arte de esta tecnología en el momento actual.

© Alfaomega-**Altaria**

Otros tipos de *Tablets* y el futuro

Capítulo 6

Otros tipos de *Tablets* y el futuro

6.1 Amazon Kindle Fire

Hablemos de Amazon *Kindle Fire*, propiedad de Amazon. Éste es un *Tablet*, como hemos visto, resultante de la mezcla entre el lector de libros electrónicos Amazon *Kindle* y los *Tablet Android*. De hecho emplea un sistema operativo *Android* un tanto modificado. A día de hoy, todavía no se puede comprar directamente en España.

Figura 114

Este *Tablet* de siete pulgadas, en su lanzamiento, fue visto como una apuesta arriesgada por parte de Amazon. No es un *iPad* y tampoco es un *Tablet Android* cien por cien. ¿Qué es entonces? ¿Para qué sirve? Te diré que el Amazon *Kindle Fire* es un dispositivo totalmente orientado a consumir contenido multimedia, es decir, ver películas, leer libros o reproducir canciones. Además, tiene una gran aceptación entre el público más joven, con juegos diseñados a su medida.

Como lector de libros electrónicos es tremendamente funcional y casi imbatible, comparado con las aplicaciones de lectura de la que disponen otros *Tablets*. Aunque la aplicación *"Kindle"* en *iPad*, por ejemplo, funciona perfectamente, la integración nativa en el caso del *Kindle Fire*, así como sus dimensiones algo más reducidas, hacen más cómoda la lectura en el *Tablet* de Amazon.

En cuanto a vídeos, debes tener en cuenta que el *Tablet* está conectado directamente a la tienda online de Vídeo Amazon. Puedes ver las películas tanto en línea como descargarlas para verlas más tarde, aunque de momento sólo en Estados Unidos. La única pega es que el tamaño del dispositivo dificulte un poco la visión a dos personas. En cuanto al audio, también tienes conexión directa con la tienda virtual de música. Los altavoces externos del *Tablet* funcionan correctamente.

Para navegar por Internet incorpora una aplicación denominada "Silk" que funciona con suavidad además de rapidez. De nuevo el tamaño más limitado frente a otros *Tablets* hará que tengas que hacer bastante *zoom* en según qué páginas.

En cuanto a las aplicaciones, tenemos que decir que su tienda virtual está mucho mejor organizada que la tienda de *Android*. Sus aplicaciones se cuentan sólo en cientos, de momento, aunque son de una excelente calidad.

En definitiva, es un *Tablet* bastante equilibrado y con un buen rendimiento si piensas usarlo básicamente para ver películas, leer libros o entretenerse con divertidos juegos. A la espera de noticias sobre su venta en Europa, de momento no retrases la compra de otro *Tablet* por este.

6.2 Windows 8

Ya te he anticipado mucha información sobre *Windows* 8 en los capítulos anteriores, sobre todo en el capítulo que trataba sobre los diferentes tipos de *Tablets*. Intentando no repetirme demasiado, debes saber que *Windows* 8 es la gran apuesta de Microsoft en el mundo *Tablet*. Se trata de un sistema operativo para *Tablets* táctiles.

Tal y como sucede con *Android*, *Windows* 8 es un sistema operativo, por lo que la parte física de los *Tablets* recae en los fabricantes de *hardware*.

Entre los fabricantes con un *Tablet Windows* 8 disponible están HP, *Samsung*, Asus, *Dell* o incluso Nokia.

Ahora sí voy a repetirme un poco, pero es importante que estos conceptos queden suficientemente claros. *Windows* 8 es un sistema operativo *Tablet* que también trata de simplificar al máximo la experiencia del usuario. Pretende ser más sencillo de usar que *Windows*. Iconos cuadrados que representan aplicaciones y un Marketplace o tienda virtual donde podrás descargarlas se encargan de que *Windows* 8 tenga un ecosistema de aplicaciones sencillo de usar y lo suficientemente potente como para que sea el sistema preferido por los usuarios.

Microsoft está realizando un gran esfuerzo en atraer a los desarrolladores de aplicaciones para que lancen sus creaciones en *Windows* 8. El potencial de usuarios objetivos que puede llegar a tener *Windows* 8 es realmente grande, por tanto muchos programadores ya están en la tarea de crear aplicaciones atractivas para este nuevo sistema operativo.

Teniendo en cuenta la alta cuota de mercado del sistema operativo *Windows*, así como la calidad y esfuerzo que pone Microsoft en todas sus creaciones, no nos cabe duda de que los *Tablets* con *Windows* 8 van a ser un jugador muy importante en el mercado *Tablet*. Mientras que ahora el mercado se reparte prácticamente entre *iPad* y *Android*, *Windows* 8 hará que se produzca un nuevo equilibrio de fuerzas en este competitivo mundo.

El aspecto del sistema operativo *Windows* 8, heredado de su hermano pequeño *Windows* Phone 7 para móviles, se denomina Metro.

Figura 115

En Metro tendremos rectángulos en pantalla que representan aplicaciones, a diferencia de los iconos que puedes ver en otros sistemas operativos como *iOS* o *Android*. Lo interesante es que estos rectángulos, en inglés llamados *tiles*, están "vivos". De un modo parecido a lo que comentábamos sobre los widgets *Android*, estos *tiles* te ofrecen información actualizada sin necesidad de pulsar sobre la aplicación para abrirla.

Fíjate por ejemplo en el *tile* de la aplicación de bolsa. Como puedes ver en la imagen siguiente, tenemos la información de bolsa directamente sobre el rectángulo que representa la aplicación. En otros sistemas operativos tendríamos un icono que representa la aplicación de bolsa, pero tendríamos que pulsar y entrar en ella para ver la información actualizada.

Figura 116

Con los *tiles* tienes la información de un montón de aplicaciones en tiempo real sin tener que entrar en cada una de ellas. Con *tiles* sobre bolsa, tiempo y noticias en tu pantalla, con un solo vistazo tendrás toda esa información disponible, actualizada cada pocos minutos, sin tener que abrir la aplicación para ver el tiempo primero, luego abrir la de la bolsa, etc. De esta forma está todo a la vista.

Figura 117

¿Entiendes el concepto? En cuanto lo emplees aún te quedará más claro.

Tiene muchas cosas buenas en la primera versión "beta" que Microsoft ha dejado probar al usuario. El arranque es tremendamente rápido y la interfaz tiene una suavidad de funcionamiento envidiable. También tiene algunas cosas que pulir, pero para eso es una versión preliminar.

La tienda virtual de aplicaciones para *Windows* 8 se llama *Windows* Store y estará enfocada a la utilidad y a la búsqueda sencilla de aplicaciones.

Para todos los que se están haciendo la pregunta, la respuesta es sí: además de poder tener este aspecto con la interfaz Metro, cuando tienes

Windows 8 instalado en tu ordenador también puedes tener el aspecto de *Windows* de siempre con iconos y flechas moviéndose por la pantalla. Metro, como el resto de sistemas basados en aplicaciones, trata de simplificar el uso del usuario. Pretende que con sólo pulsar sobre un *tile* se tenga el resultado esperado, sin tener que aprender nada sobre ventanas, barras de tareas o ratones.

Para usos algo más complejos, necesitaremos nuestra interfaz de *Windows* de siempre. No te preocupes porque tenemos *Windows* para rato.

Somos muchos los que esperamos que tenga el éxito que merece, dado que una competencia mayor entre dispositivos *Tablet* sólo puede favorecer el que cada vez tengamos productos mejores y más innovadores.

Internet

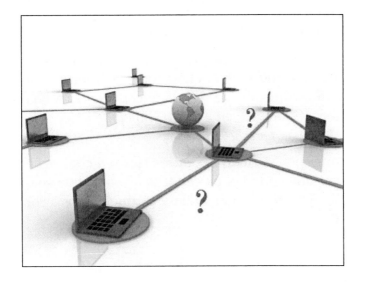

Capítulo 7

Internet

7.1 Introducción

En este capítulo vamos a tratar de explicar qué es y cómo funciona Internet. Aunque puede que ya sepas lo que es, quiero darte un punto de vista diferente que te ayude no sólo a saber qué es, sino a entender realmente los conceptos fundamentales. Describiremos, además, qué son y cómo se usan servicios como las redes sociales, el correo electrónico o *Skype*.

Puede que actualmente estés usando tu *Tablet* sólo para navegar por Internet, así que conviene que tengas claro todo lo que puedes hacer con tu dispositivo y una conexión de red. Este capítulo está basado en la descripción de Internet que hice en el libro *Guía práctica de Informática e Internet. El método del botón derecho.*

Éste es un apartado independiente que podrás leer sea cual sea el *Tablet* que tengas. Algunas peculiaridades de cada *Tablet*, si es que se dan, las iré puntualizando por el camino. Agárrate fuerte, que vamos a comenzar a navegar por la red.

7.2 ¿Pero Internet qué es exactamente?

Cuanto más lo pienso, más difícil me parece dar con una definición lo suficientemente descriptiva, comprensible y no demasiado larga. Es muy complicado no entrar en tecnicismos o términos que necesitan de conocimientos de redes de ordenadores para dar una definición precisa.

Definitivamente, lo mejor es tratar de entender qué es y cómo se aplica a través de un ejemplo. Los ejemplos tratarán de mostrar cómo funciona el modelo Cliente-Servidor, base de todo el intercambio de información entre ordenadores e Internet. Estoy convencido de que más de una vez has oído la palabra "servidor" en el contexto de Internet, por fin hoy entenderás qué significa.

Hagamos un ejercicio de abstracción. Si fuéramos unos amantes del arte moderno, con ganas de descubrir nuevas creaciones y estar actualizados de lo que pasa en ese mundo de manera habitual, tendríamos varias opciones. Entre ellas, viajar frecuentemente al Museo de Arte Moderno de Nueva York, el MoMA, para descubrir nuevas obras.

Esta opción, aunque atractiva, es muy costosa. Seguramente lo más sencillo sería suscribirte a una publicación de novedades de las que tiene el Museo, para que nos envíen a casa la revista de novedades. Para suscribirnos deberemos rellenar y enviar el formulario de solicitud correspondiente del MoMA. Una vez recibido en su servicio de publicaciones, ellos nos reenviarán la revista de manera mensual, es decir, nos la "servirán". La revista llegará directamente hasta nosotros, que seremos un "cliente" que ha solicitado algo del "servidor".

Para que ese intercambio entre cliente y servidor tenga lugar debe haber algo que enlace ambos extremos. En este caso, el servicio de correo postal que hará llegar tu suscripción al MoMA y que también transportará la revista hasta tu casa desde Nueva York.

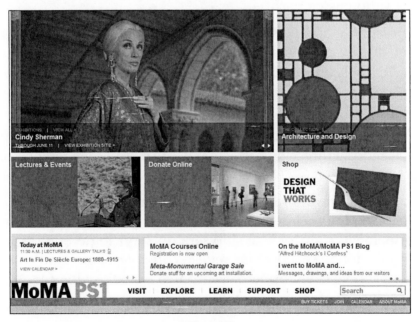

Figura 118

Otro ejemplo: se te apuntan a comer a casa unos cuantos amigos con los que no contabas. Tienes varias opciones, pero lo más probable es que acabes llamando a algún servicio de comida a domicilio, por ejemplo comida china a domicilio. En este caso tú, como "cliente", pides la comida y ellos desde el restaurante te la "sirven".

En este caso, la red de carreteras y el repartir en moto son el medio que conectan tu casa y el restaurante para que ese intercambio tenga lugar.

Supongo que ahora ya empiezas a hacerte una idea de cómo funciona el modelo Cliente-Servidor. El cliente hace peticiones al servidor, que se encarga de procesar esas peticiones y hacer llegar lo que se ha pedido. Cuando hablamos de Internet, en lugar de comida china lo que se intercambia son unos y ceros, es decir, información en el lenguaje de unos y ceros que sólo los ordenadores y *Tablets* entienden. El medio en que ambos extremos están conectados es la inmensa red de ordenadores interconectados que conocemos como Internet. Esta red de ordenadores permite hacer llegar las peticiones de tu *Tablet* al servidor remoto y, a su vez, devolver hacia tu *Tablet* la información pedida.

Cuando navegas por Internet lo que sucede es algo muy parecido a lo que hemos visto en los ejemplos anteriores del MoMA y la comida china. Vamos a verlo paso a paso:

1. Te dispones a navegar por Internet, en concreto por la página web del Museo. Quieres ver la revista de novedades directamente en Internet, sin esperar a que llegue la revista física a casa. Para ello, primero abres tu aplicación para navegar por Internet, sea cual sea tu *Tablet*.

2. Una vez abierta, le indicas que quieres visitar la web del Museo, tecleando su dirección correspondiente de Internet: www.moma.org.

3. Lo que sucede ahora es que tu *Tablet* va a realizar una petición al sitio en Internet donde el MoMA guarda sus publicaciones en formato electrónico. Este sitio será un servicio de publicaciones virtual, donde se alojan las revistas digitales, que también reenviará la revista en formato electrónico a quien se lo pida. Será el servidor del Museo.

4. Tu *Tablet*, como cliente, le hará una petición a ese servicio de publicaciones digital para obtener una copia de la revista. En forma de unos y ceros, tu dispositivo le está diciendo al servidor del MoMa: "Hola, ¿me puedes enviar una copia de la revista?".

5. Esa petición en forma de unos y ceros ha llegado desde tu *Tablet* al servidor del MoMA mediante la red de ordenadores interconectados, Internet, que permite poner en contacto ambas partes.

6. Cuando el servidor del MoMA ha procesado la petición, enviará hacia tu *Tablet* una copia de esta revista en formato digital. Este envío se hará a través de Internet y en forma de información digital, es decir, unos y ceros.

7. Una vez tu *Tablet* ha recibido estos unos y ceros, la aplicación del navegador será capaz de traducirlos adecuadamente para convertirlos en una revista que puedas ver en tu pantalla.

Si te preguntas cómo nuestro *Tablet* sabe dónde está ese ordenador remoto que hace de servidor, la respuesta es sencilla: nosotros mismos le hemos dicho cuál es la dirección al teclearla en la aplicación del navegador, es decir, al teclear www.moma.org.

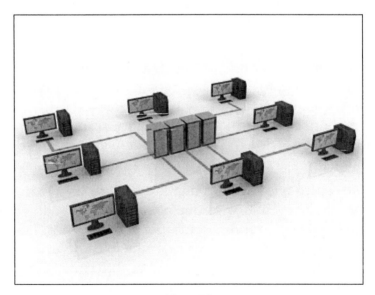

Figura 119

Cuando quieres intercambiar algo con un restaurante chino, sabes dónde hacerlo porque tienes su dirección y teléfono, teniendo una red de carreteras que unen ambos puntos. Cuando mandas una suscripción a una revista, el correo postal será quien ponga en contacto tu casa y el sitio donde se guardan las publicaciones. De hecho, al enviar tu suscripción por correo ya conoces y rellenas la dirección del sitio de publicaciones.

Paralelamente, Internet es el medio por el cual tu *Tablet* y un servidor remoto intercambian información. Esta información, como hemos dicho, son unos y ceros, que es el lenguaje binario que *Tablets* y ordenadores entienden.

Al teclear la dirección de una página web, como www.moma.org, le estamos dando a nuestro *Tablet* la dirección donde tiene que enviar esa petición electrónica como cliente. El destino será un servidor que nos devolverá la información solicitada. Internet sabe cómo interpretar esa dirección para hacerla llegar al destino.

Cuando hablamos de intercambiar información digital, esto es, unos y ceros, debes entender que visitar una página web consiste en realidad en el intercambio de información digital entre el servidor web que tiene la página y tu *Tablet*, previa petición por nuestra parte. Cuando la información llega a nuestro *Tablet*, ésta se traduce en una bonita página web ante tus ojos.

Descargar una canción, ver un capítulo de tu serie favorita online o entrar en *Facebook* para ver fotos de tus amigos también son intercambios de información digital entre tu *Tablet* y el servidor que contenga los datos que tú has pedido. Esa información digital transmitida luego se traduce en una foto, en una canción o en un vídeo, pero el principio de intercambio y el medio a través del cual se hace es siempre el mismo: Internet.

En este punto espero que estés con una ceja levantada reflexionando sobre lo que acabas de leer. La idea es que absolutamente todo en el mundo de los ordenadores está representado por unos y ceros. Los vídeos de Youtube que puedes ver son series interminables de unos y ceros que nuestro *Tablet* sabe traducir en un vídeo. Las fotos que te envía tu primo del cumpleaños de tu abuela no dejan de ser una serie de unos y ceros que luego tu *Tablet* sabe interpretar y convertir en una foto. Hasta las canciones o tu propia voz, si usas alguna aplicación para hacer vídeoconferencias con tu *Tablet*, también serán series de unos y ceros.

Internet es un laberinto de redes de ordenadores, con un montón de servidores alojando vídeos, películas, música o documentos en formato de unos y ceros. Sólo debes conocer su dirección o bien descubrirla a través de un buscador para poder tenerla en tu *Tablet*.

7.3 Internet en tu *Tablet*

En el apartado anterior hemos explicado cómo suceden las cosas cuando navegas por Internet, sea cual sea el tipo de información que intercambias. Sin embargo, no hemos entrado en mucho detalle sobre lo que realmente es Internet. Me estoy refiriendo a cómo es posible que los unos y ceros de mi *Tablet* y los del servidor lleguen a intercambiarse. Te he comentado que Internet es el medio a través del cual dicho intercambio es posible, pero no te he dado pistas aún de realmente cómo. Vamos a verlo ahora.

Tras varias llamadas más o menos infructuosas a algún *call center*, consigues contratar un acceso a Internet (ADSL, cable o fibra) para tu casa. Esto ya es un gran paso. Después, cuando el técnico viene a casa y nos configura la red, tendremos la posibilidad de conectarnos a Internet vía WIFI con nuestro *Tablet*.

Lo que hemos contratado en realidad no es más que el acceso a una autopista de peaje, la información digital, unos y ceros, que pone a nuestra disposición el operador con el que hemos hecho el contrato. Nuestro *Tablet* le entregará los unos y ceros al *router* de casa, que a su vez los reenviará a la autopista propiedad de nuestro proveedor de Internet.

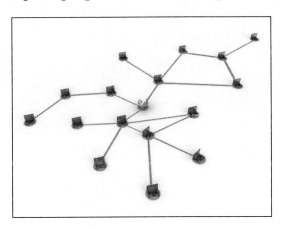

Figura 120

Esta autopista propiedad de tu proveedor de Internet está conectada con las autopistas de otros proveedores de Internet de tu país y por supuesto del extranjero. Es como una red de carreteras que pertenecen a diferentes propietarios pero interconectadas entre sí.

De este modo, imagina que quieres ver una página web alojada en un servidor australiano. Si sólo pudieras intercambiar información con los *Tablets* y ordenadores con acceso a la misma carretera que tú, jamás llegaríamos a hablar con un ordenador australiano, pero tampoco con uno español que no perteneciera al mismo proveedor que tú. Sería un mundo muy limitado.

La múltiple interconexión de redes que llamamos Internet es posible porque todas las redes y proveedores de Internet están interconectados. Los proveedores de Internet españoles están conectados entre ellos. A su vez, se interconectan con otros proveedores de otros países, que también están enlazados entre ellos. Así que al final, para llegar a Australia, nuestros unos y ceros tienen multitud de caminos a elegir, atravesando diferentes cruces y caminos de autopistas digitales.

Figura 121

Ahora que ya tenemos una red de autopistas capaz de llegar a casi cualquier sitio, vamos a tratar de entender cómo es posible que entre tantos peajes y rotondas, nuestros unos y ceros encuentren el destino.

Al conectarnos a Internet con nuestro *Tablet*, desde el proveedor recibiremos una especie de mapa de direcciones para que los unos y ceros sepan llegar a su destino. Sin embargo, solamente tiene detalles de las proximidades, para lugares lejanos sólo tiene unas pequeñas indicaciones de por dónde tirar.

Es una situación parecida a pretender llegar desde Madrid a Moscú en moto con sólo un mapa de España. Nos será muy difícil encontrar el destino una vez abandonemos la zona que está recogida en el mapa. No nos va a quedar más remedio que ir preguntando. Además, seguro que tenemos un montón de caminos y autopistas posibles, y sería bueno no sólo llegar, sino hacerlo por el mejor camino posible.

Nuestros datos por Internet viajan del mismo modo. Van preguntando a casi todos los ordenadores que se encuentran por el camino. Es como decir: "Oye, para llegar al ordenador de Vietnam, me han dicho que es por aquí. ¿Ahora por dónde debo continuar?". Paso a paso, cambiando de autopistas, nos van dando las indicaciones correctas para llegar a nuestro destino.

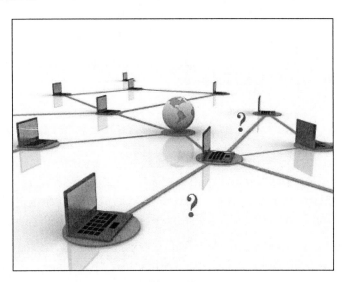

Figura 122

A las redes de ordenadores, como la que tú conectas desde casa, les gusta mucho hablar entre ellas. Están siempre contándose cosas como: "Para ir al servidor que tiene fotos de amaneceres en Indonesia desde Madrid, es mejor atravesar la red de Orange en Francia, para después coger la red belga de Belgacom. Allí pregunta de nuevo". Existen protocolos informáticos que permiten este tipo de diálogos y que hacen que nuestras redes siempre traten de ofrecernos el mejor camino entre origen y destino. Si no hay ninguna red que sea capaz de conectarnos con el ordenador de destino, nunca podremos solicitar información de ese ordenador.

Parecía más fácil de explicar hace unas cuantas páginas. Sin embargo, espero haber sido suficientemente conciso y poco aburrido. Es importante que entiendas cómo funciona Internet, porque podrás entender muchos otros conceptos relacionados con muchísima más facilidad.

Por ejemplo, la típica queja de mis amigos: "Dani, a ver si vienes a casa que Internet me va lento". Con tu vasto conocimiento recién adquirido, este escenario tiene otro significado. Tras leer con atención lo que has leído, ya entiendes la cantidad de factores y carreteras, servidores, ordenadores y demás elementos que intervienen en una comunicación vía Internet. Con lo que "Dani", la mayoría de las veces, poco puede hacer excepto simular que cambia algún parámetro y aseverar que ahora funciona mucho mejor. Normalmente suele convencer.

Ahora que comprendemos ya la parte más básica, vamos a lo divertido, trabajar con Internet directamente.

7.4 Usa tu *Tablet* para navegar por Internet

Tras la introducción siempre necesaria, es el momento de comenzar a navegar por Internet. Seguro que ya lo has intentado antes y has tenido tus fricciones con la red. En este apartado veremos cómo hacerlo de un modo algo más estructurado y entendiendo todos los componentes.

Recuerda que si tienes un *Tablet iPad* deberás abrir la aplicación "Safari", si tienes un *Android* debes abrir su aplicación "Browser" o navegador. Si tienes un *Windows* 8 simplemente abre Internet Explorer en su versión *Tablet*. ¿Recuerdas los iconos? Te los recuerdo seguidamente.

SAFARI   Android BROWSER   Internet EXPLORER

Figura 123

Por supuesto, puedes descargar muchas otras aplicaciones que sirven para navegar por Internet en los diferentes Markets de cada *Tablet*, pero éstas son las que encontramos por defecto y por tanto las más sencillas de utilizar de momento.

Vamos a realizar estos ejemplos navegando con "Safari", pero te aseguro que con cualquiera de los otros la operativa es muy similar. Pueden surgir algunas pequeñas diferencias, pero se trata de aprender a moverse por Internet, no de aprender a usar una aplicación de navegador en concreto.

Empecemos por el principio. ¿Qué significa navegar por Internet? Déjame que te explique en pocas palabras: navegar por Internet es ir de una página a otra, simplemente. En inglés es usual la expresión *surf the web* para describir la acción de ver páginas web en nuestro ordenador, accediendo a una información determinada, luego a otra distinta, como subirse a una ola de información tras otra. En castellano esa expresión ha derivado en "navegar por Internet", siendo ampliamente aceptado y adoptado en casi todos los rincones de la red. También es cierto que el término "navegar" está tremendamente relacionado con uno de los primeros programas que se emplearon para acceder a páginas web de Internet, el olvidado Netscape Navigator. De usar el programa Navigator a navegar parece que hay un solo paso lingüístico.

Navegar por Internet, en definitiva, significa solicitar páginas web alojadas en servidores remotos con el objeto de ver la información que tienen alojada.

No esperes más, abre tu aplicación para navegar por Internet y vamos a por ello. En el ejemplo que puedes ver en las figuras siguientes, se trata de mi navegador consultando la página web de la Liga de Fútbol Profesional: www.lfp.es

Figura 124

Éste es mi Safari navegando, es decir, consultando la información que tiene la página web de la Liga almacenada. Mi *Tablet* le ha dicho al ordenador que almacena la página de la Liga que me la mande para que yo la vea en mi pantalla.

La parte más importante es la barra de exploración, la parte superior que ves resaltada en la imagen siguiente.

Figura 125

Aquí es donde tecleas el nombre de la página que quieres visitar. Normalmente empezará por "www" y acabará en ".com", por ejemplo, www. nba.com. Si es una página de España acabará en ".es".

Ahora prueba tú a teclear una dirección de Internet en ese espacio. Por ejemplo, visita la página web de la Asociación de Internautas: www. internautas.org

Figura 126

Sigue haciendo pruebas, teclea una dirección de Internet tras otra en ese espacio. Te darás cuentas de que casi todas las combinaciones que escojas tienen una página web asociada. Hay muchísimas páginas web, incluso seguramente alguien ya tiene una página web con tu apellido y ".com"

Quizá te has equivocado y has ido a una página que no querías, pero no te preocupes. Tenemos la capacidad de volver a la página anterior que visitábamos o a la siguiente mediante las intuitivas flechas, que te llevarán hacia adelante o hacia atrás en nuestro historial de navegación.

Figura 127

Todos esos nombres que ves bajo la barra de navegación son tus favoritos, es decir, páginas web que pones muy a mano para poder pulsar con tu dedo y volar hacia ellas sin tener que teclear en la barra de navegación toda su dirección.

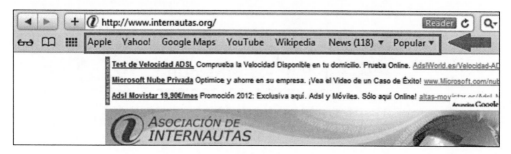

Figura 128

Los favoritos puedes entenderlos como un directorio de páginas que te han gustado y que has decidido guardar en una lista. De este modo, para volver a visitarlas no tendrás que teclear su dirección de nuevo.

Es posible que haya páginas web que visites de manera frecuente cada vez que navegas. Seguramente te interese añadirlas a tus favoritos para no tener que teclear su dirección cada vez que quieras acceder a la página.

Para hacer que esa web se incluya dentro de los favoritos, sólo tienes que pulsar el botón de agregar, que añadirá la página que estás visitando a tus favoritos, tal y como puedes ver en la siguiente imagen.

144

Figura 129

Tras pulsar el botón de añadir a favoritos, verás cómo se instala la web que estabas visitando en el espacio para tus favoritos. Simplemente confirma que quieres agregar en la nueva ventana que se abrirá y ya tendrás esa web instalada en tu barra de favoritos.

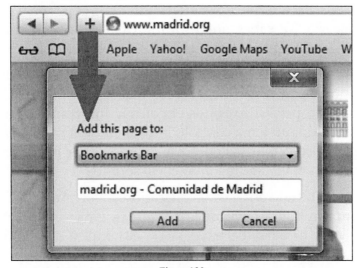

Figura 130

Figura 131

Para otras *Tablets* con navegadores distintos el funcionamiento es similar a lo que hemos explicado aquí. Quizá el botón de añadir a favoritos esté en otro lugar, pero tu barra de exploración y el modo de ir adelante o hacia atrás es el mismo.

Con estas mínimas nociones, ya estás preparado para surcar el océano digital desde tu *Tablet*. Si te parece una explicación demasiado breve déjame decirte que no necesitas más. Sólo tienes que atreverte a visitar una página tras otra durante horas y horas. La mejor manera de aprender es equivocarse.

7.5 Los buscadores de Internet

Después de un buen rato navegando por Internet puede que no se nos ocurra qué páginas podrían ser interesante visitar. También puede que necesitemos buscar información sobre algún tema concreto y no sepamos cómo encontrarla. Ya sabes que esta información puede ser el último capítulo de alguna de tus series preferidas. Unos y ceros, al fin y al cabo.

En estos casos, lo que debes hacer es utilizar un buscador de Internet. Estos buscadores son como gigantescos directorios de las páginas que pueblan Internet, permitiéndonos encontrar información, o al menos acercarnos, sobre algún tema con sólo introducir un término de búsqueda relacionado. No sólo tendrás como resultado de tu búsqueda páginas web, además, además, tendrás imágenes, sonidos o vídeos.

Para probar cómo funcionan estos buscadores, volvamos a abrir la aplicación que nos ayuda a navegar por Internet. Una vez abierta, simplemente escribe en tu barra de navegación el nombre de algún buscador de páginas de Internet como:

- www.google.com
- www.bing.com
- www.yahoo.com

Éstos son los tres buscadores más famosos, pero hay más, te dejaré que los descubras por ti mismo.

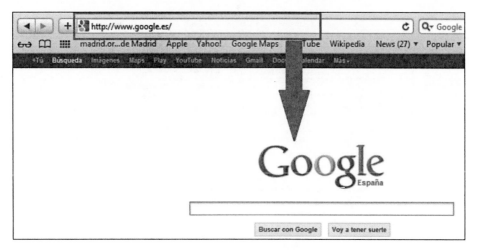

Figura 132

Ahora simplemente teclea en el recuadro de búsqueda una palabra o frase relacionada con aquello que estás buscando y pulsa sobre el botón en forma de lupa para empezar a buscar. Tal y como ves en la imagen que ves a continuación.

Figura 133

Como resultado de tu búsqueda obtendrás una serie de líneas azules subrayadas que son enlaces a contenidos relacionados con lo que estás buscando. Pulsando sobre ellos accederemos a ese contenido web.

Figura 134

Ahora que sabes cómo usar un buscador, ponte a probar, busca cosas y mira los resultados. Prueba a buscar tu nombre y apellidos. Nunca sabes si, aunque no quieras, ya estás indexado en Internet.

Te hago notar que algunas aplicaciones para navegar por Internet como Safari o el Browser de *Android* ya tienen incorporada la función de búsqueda dentro de su interfaz. No tienes que teclear la dirección del buscador y después el término de búsqueda, sino que puedes hacerlo directamente en la ubicación que te indico en la imagen y pulsar "buscar", entonces te aparecerán los resultados de tu búsqueda inmediatamente.

Figura 135

7.6 Las redes sociales

Nos toca ahora hablar de uno de los cambios más grandes en cuanto a la forma de relacionarse y estar en contacto con otras personas que estamos atravesando en estos momentos. Se trata del fenómeno de las redes sociales. *Facebook*, Twitter o Linkedin son algunos ejemplos de lo que vamos a describir en este apartado.

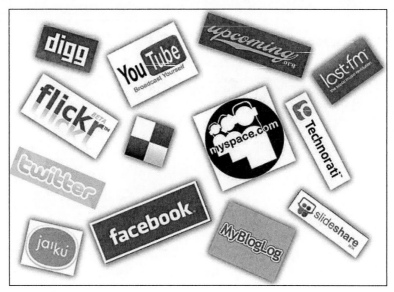

Figura 136

Una red social es una página web que nos ofrece la posibilidad de interactuar de alguna manera con otros usuarios que también acceden a esa página. Para ello, dispone de una serie de servicios y funcionalidades de las que haremos uso una vez tengamos acceso a ella. No es como una página normal a la que accedemos, vemos su información y abandonamos. Tiene muchas más posibilidades y su objetivo es que permanezcas en ella el máximo tiempo posible.

Para llegar a ellas debes abrir tu aplicación para navegar por Internet, ya sabes: Safari, Browser o la que normalmente emplees, y en la barra de dirección teclear la dirección de la red social que quieres visitar, en el caso de *Facebook*: http://www.*Facebook*.com

Lo que aparece en tu pantalla es una página web un tanto peculiar. Es la página de entrada a la red social *Facebook*. Puedes pensar en esta página de entrada como la taquilla del metro, te identificas y entras al servicio (si tuvieras un abono de transporte), o bien te registras para poder acceder (pagas un billete). Vamos con algunos ejemplos.

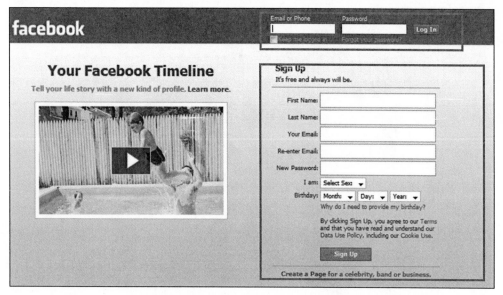

Figura 137

En la imagen anterior puedes ver cómo la página de entrada de *Facebook* es una página muy simple con dos áreas principales: en primer lugar tenemos un área, en el margen superior, donde nos piden un usuario y una contraseña para poder acceder a la funcionalidad de la red social, es decir, poder acceder al servicio. En segundo lugar, tenemos otra área en la parte central derecha, donde podremos crear un nuevo usuario para luego poder identificarnos y entrar en *Facebook*. Más allá de esto, en esta primera página que encontramos apenas hay ninguna otra información útil.

Como te comenté antes, en todas las redes sociales tendremos que tener un usuario y una contraseña para poder acceder. Si no lo tuviéramos, tendríamos que crearnos uno. No es una elección fácil, puesto que toda nuestra actividad dentro de la red viene ligada a ese usuario que hemos elegido. Algunos otros ejemplos los vemos seguidamente.

Figura 138

Figura 139

Para crear el usuario que nos permita acceder a la red social y empezar a disfrutarla solamente debes seguir el link de registro ("Regístrate", en inglés "Sign up") que encontrarás en la página de inicio.

Como parte de este proceso de registro tendremos que rellenar un formulario donde se nos pedirán una serie de datos personales, como nombre, apellido o ciudad. También nos pedirán elegir el nombre de usuario que queremos tener en la red. Éste será tu identificador único y el que tendrás que teclear para identificarte, junto con la contraseña que escojas, al entrar al servicio.

Es probable que algunas otras redes sociales, durante el proceso de registro, además de pedirte ciertos datos personales, requieran que des un email válido para cerciorarse de que eres tú el que se está registrando con esos datos. Una vez completado el registro, la red social te enviará un correo electrónico a ese email que has escogido, pidiéndote que pulses sobre un enlace. Con esto, habrás completado el registro y la red se habrá asegurado que la persona registrada bajo ese nombre y apellidos es el dueño real de ese correo electrónico.

Otra forma que tienen las redes sociales de asegurarse de que quien se está registrando es quien realmente dice ser y no algún hacker es la validación vía *captcha*, también llamado código de confirmación. Un *captcha* tiene un aspecto similar al de la imagen de abajo:

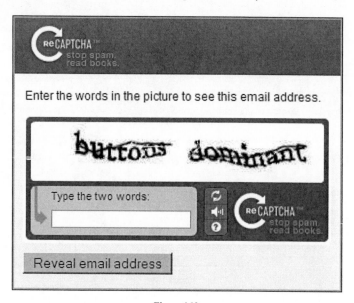

Figura 140

En este caso, para continuar con el registro en la red social y ser validados, tendrás que introducir las dos palabras que se muestran en la parte central dentro del recuadro habilitado, es decir, debes escribir *"buttons dominant"*.

Una vez registrado, cuando quieras acceder a la red social, simplemente sigue el link de "Identificarse" (en inglés "Login"), donde introducirás tu usuario y contraseña y podrás acceder al servicio.

Por fin estamos dentro de la red, hemos sufrido pero ya está hecho. Antes de comenzar y curiosear, conviene que tengas claro un par de conceptos comunes a casi cualquier red.

En toda red social tendremos un área personal, denominada perfil de usuario o página personal. En esta área es donde situarás todo tipo de información personal que puedes compartir con otros usuarios de la red: datos personales, fotos, vídeos, música, mensajes o incluso un diario electrónico.

La red no sería social si no pudiésemos interactuar con otros usuarios. Cuando estemos identificados en la red, podremos buscar a otras personas que también pertenezcan a la red para comenzar una interacción. Surgirán multitud de relaciones entre usuarios: amistad, favoritismo, indiferencia e incluso odio. Todas ellas tendrán un reflejo y una acción correspondiente en nuestra red.

Debes pensar en una red social como en dar un paseo un sábado por la noche. Seguramente te encontrarás con amigos, con los cuales compartirás información sobre ti y cosas que te han pasado. Es probable que conozcas gente nueva y tal vez lleguéis a ser amigos también. Habrá cierta gente que quieras evitar y no quieras encontrarte y mucha otra con la que charlarás pero con la que no llegarás a tener una amistad. Además, para conocer gente nueva tienes muchas maneras diferentes. Puedes acercarte directamente y saludar, puedes hacer un gesto desde lejos o quizá invitar a tomar un refresco, a modo de ejemplo.

En una red social, la dinámica es similar. Si interactúas habitualmente con ciertos usuarios, seguramente se conviertan en tus amigos y quieras compartir tu área personal con ellos. Habrá alguna otra gente a la que quieres conocer y llegar a tener amistad. Para ello cada red pondrá a tu disposición diferentes medios electrónicos para llamar su atención. Entre ellos: envíos de mensajes privados entre usuarios, envíos de toque de atención, hacer un regalo virtual o simplemente comenzando directamente a chatear con el usuario. Otros usuarios serán muy pesados y querrás bloquearlos. Podrás hacerlo. Algo muy similar a la vida real.

Las malas lenguas dicen que el concepto de redes sociales, como alternativa para conocer gente, nace en la habitación oscura de un adolescente tímido y con acné. Hoy en día estos chicos suelen ser multimillonarios y no tienen demasiados problemas para conocer gente del sexo opuesto.

Por el tipo de redes sociales que puedes encontrar, podemos hacer tres grandes grupos principales. En primer lugar están las redes sociales no genéricas, es decir, que no tienen una temática concreta. Por ejemplo, *Facebook* o Twitter. En ellas se habla un poco de todo y se comparte todo tipo de información.

Un segundo gran grupo son las redes sociales genéricas. Son redes con una temática central que es la que te hace unirte a ella. También son llamadas comunidades. Entre ellas, por ejemplo, Forocoches. Bajo el paraguas común del interés por los coches, un montón de gente se registra e interactúa en esa red. Aunque en su origen era sólo un foro, su capacidad de crecimiento y relación entre usuarios la convierte en una red en toda regla.

Efectivamente, el tercer gran grupo son las redes que normalmente se emplean para conocer gente con el objetivo de flirtear. Son redes sociales muy famosas y con gran cantidad de usuarios. Te permiten conocer gente que también puede que esté buscando pareja, aunque sea sólo de manera temporal. Ejemplos de este tipo de redes son Match, Meetic, Netlog o Badoo.

Por último, decirte que las redes sociales normalmente no están mezcladas entre sí. En *Facebook* podrás relacionarte con gente que también está en *Facebook*, pero no con usuarios de otras redes. Parece obvio, pero tenía que aclararlo antes de generar preguntas.

Si piensas un poco en el concepto de red social, parece un invento a la medida del marketing empresarial. La cantidad de información sobre los gustos y quejas que intercambian los usuarios de coches dentro de Forocoches es de un valor incalculable para los responsables de marketing de cualquier firma de automoción. De primera mano, tienen todo lo que los usuarios piensan de sus coches y qué cosas deberían mejorar o qué cosas les gustaría tener en el futuro.

En *Facebook*, como veremos, también existen grupos, como por ejemplo "Amantes de las motos". Los usuarios, libremente, cambiarán un montón de información sobre cosas que les gustan y cosas que no. Cualquier diseñador de productos para motos sólo tiene que escuchar un poco y ver si hay algo de demanda de su futura creación.

Las redes sociales también permiten anunciar e informar de nuevos productos a los consumidores objetivos de un modo más efectivo.

Figura 141

En lugar de invertir una gran suma de dinero en publicidad tradicional como televisión o radio, donde podríamos tener a nuestro consumidor objetivo al otro lado de la pantalla o no, invertir en redes sociales es un tiro mucho más certero. Quién va a estar más interesado en un nuevo helado de sabor de fresa que la gente que abiertamente participa en un grupo en *Facebook* como "Me gustan los helados".

Es la época del auge del marketing digital. Las compañías cada vez emplean más esfuerzos y recursos en hacer campañas de marketing enfocadas al mundo online y menos en los medios tradicionales. Existe aún una gran nube gris sobre el marketing digital que no acaba de despejarse, pero ése es tema para otro libro y no éste.

La otra cara de la moneda es que nosotros, como consumidores, cada vez estamos más unidos e informados. Disponemos de una enorme cantidad de medios para informarnos antes de comprar un producto. Ahora sabemos lo que queremos y no es sencillo que nos convenzan de lo contrario.

Google es un aliado inestimable para hacer una buena compra. ¿Has visto la cara de los vendedores cuando les dices que has visto el producto en Internet? Les tiemblan, siempre cariñosamente, las piernas.

Las redes sociales, que no son ajenas al *boom* de los dispositivos *Tablet*, suelen tener su propia aplicación diseñada a medida para el *Tablet*. No necesitas entrar en ellas a través de tu navegador de Internet. Como ya sabes, las aplicaciones te facilitan la vida, y desde la aplicación para *Tablet* podrás hacer muchas cosas que la red social permite sin tener que acceder a ella a través de la aplicación del navegador de Internet.

Vamos ahora a dar algunas pinceladas sobre las redes más importantes. Serán datos muy básicos sobre los que luego tú podrás completar información y experiencia. Es como un pequeño empujón hacia delante.

Figura 142

Si a estas alturas no sabes lo que es *Facebook*, supongo nadie te ha explicado convenientemente lo divertido que puede llegar a ser.

Facebook es la red social por antonomasia. Es la más importante y la que tiene el mayor número de usuarios. Fue creada en el año 2004 por un estudiante de primer año de la Universidad de Harvard, Mark Zuckerberg.

En esta red social el área de usuario o perfil de usuario contiene diversa información sobre nosotros, como nombre, apellidos, edad, sexo, intereses o estado sentimental actual. Sin embargo, las fotos que cada usuario puede situar en su área personal una vez registrado son el eje principal de *Facebook*.

Los usuarios se relacionan entre sí mediante relaciones de amistad. Una vez registrados e identificados en *Facebook*, podremos buscar amigos en el buscador y agregarlos a nuestra red.

Con la gente con la que compartimos una relación de amistad, estaremos dándonos acceso mutuo a ver toda la información del perfil, fotos incluidas. Con la gente que no son amigos nuestros, podemos elegir el tipo de información a compartir, de modo que cuando alguien nos busque en el buscador, pueda o no ver nuestras fotos, biografía o edad.

Sin embargo, esto no es todo, *Facebook* es un enorme ecosistema donde además hay juegos para batirse con otros usuarios, donde puedes compartir vídeos, pertenecer a grupos, chatear mediante un sistema de mensajería instantánea, etc. Las posibilidades son muy grandes, así como la probabilidad de que pases un buen rato.

En la imagen de abajo vemos el aspecto del perfil de un usuario (en concreto el del creador de *Facebook*, Mark Zuckerberg. Si no habéis visto la película *La red social* es un buen momento para hacerlo).

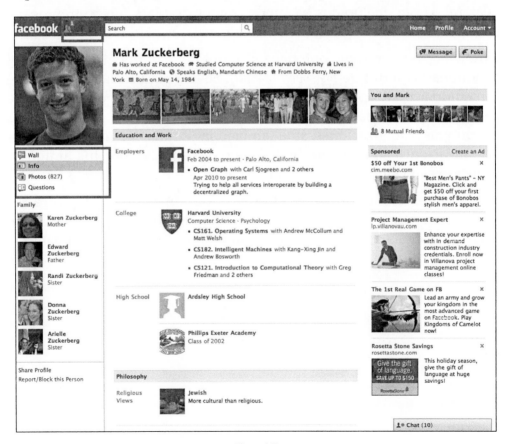

Figura 143

Te he destacado algún área de la imagen anterior. En primer lugar fíjate las cosas que Mark comparte con la gente con la que se relaciona en la red: 827 fotos en este momento. Además, tenemos la posibilidad de enviarle un mensaje o ver algo de información personal en su apartado de "Info".

En el recuadro de la parte superior central es donde podrás buscar a gente con la que conectar, intentándolo en primer lugar con su nombre y apellidos. Aquí también podrás buscar grupos. Justo al lado, podemos ver las indicaciones de mensajes privados y notificaciones de grupo. El chat con otros usuarios y amigos se encuentra situado en la parte inferior derecha, pequeño, pero muy útil. Es el sistema de mensajería instantánea de *Facebook*.

Al compartir información con Mark y ser amigos, él tendrá acceso a nuestras fotos e información personal y nosotros a la suya, es una relación bilateral. Hasta que no nos hagamos amigos de Mark, no podremos ver muchas de las cosas que él tiene en su perfil.

Otro aspecto interesante que tiene el perfil de usuario en *Facebook* es el denominado "muro de *Facebook*" (*Wall*). Se usa para situar todo tipo de contenido actualizado sobre cosas que te están pasando, páginas que te han gustado, vídeos o fotos nuevas que se han subido. No sólo verás tus propias actualizaciones, sino también las de tus amigos. Todas estas actualizaciones son susceptibles de ser comentadas por tus amigos y conocidos, iniciándose un divertido diálogo.

En la siguiente imagen vemos el aspecto del muro de Mark. Entre sus actualizaciones, Mark nos va contando cómo Keith Urban ha estado con él en las oficinas o algunos datos de su entrevista con Tom O'Really.

Figura 144

Una vez tenemos nuestra red construida, con un número importante de amigos conectados, tenemos además opciones de pertenecer a grupos. Por ejemplo, el grupo de seguidores de Pau Gasol, en el que podrás intercambiar información sobre Pau con gente que también está en *Facebook*. Los grupos son como subredes dentro de *Facebook* que agrupan a gente con intereses comunes. Son como comunidades dentro de la red social.

Facebook también tiene la opción de participar en multitud de juegos a los que podemos jugar y pasar un rato entretenido. "La granja" es uno de los juegos más famosos. Es un mundo abierto y cambiante, con aplicaciones y opciones que se van sumando día a día. No hace demasiado *Facebook* incluye la posibilidad de comunicarte con otros usuarios de manera instantánea mediante un sistema de mensajería parecido a Messenger. Lo descubrirás con el tiempo.

No esperes más y anímate a probarlo. A día de hoy también tienes la aplicación de *Facebook* disponible en *iPad* y *Android*.

Figura 145

Con la aplicación de *Facebook* en tu *Tablet* no necesitarás abrir tu aplicación para navegar por Internet, teclear www.*Facebook*.com e identificarte para entrar a disfrutar de tu espacio en la red. Las aplicaciones nos permiten directamente operar con nuestro perfil e interactuar con nuestros amigos. Pruébalas y si no te convencen, siempre puedes volver a entrar con el navegador de Internet.

Figura 146

Hablemos ahora de Twitter, otra red social con un buen número de adeptos y en constante crecimiento. A modo de introducción, diremos que Twitter es una red social que nos permite escribir mensajes cortos, de no más de 140 caracteres. Estos mensajes serán automáticamente enviados a las personas que han elegido expresamente recibir tus mensajes.

Así contado, parece que Twitter nos puede ayudar a ahorrar muchos esfuerzos en enviar el mismo mensaje a todo un grupo de personas de manera individual. Pero al mismo tiempo aporta un matiz muy importante: quien los recibe es porque quiere recibirlos, no estamos molestando a nadie con mensajes no solicitados.

En Twitter no se trata sólo de que la gente reciba tus mensajes, tú también tienes la posibilidad de recibir los mensajes que otras personas escriban. Además de que tus 140 caracteres lleguen a tu grupo de seguidores, tú mismo puedes ser receptor de los mensajes de otra gente. El concepto bajo el que Twitter opera se centra en torno a las opciones de "seguir" y tener "seguidores".

Cuando creamos nuestra primera cuenta en Twitter no tendremos apenas ninguna opción disponible, tampoco tendremos seguidores ni gente a la que seguir, con lo que tu experiencia será bastante pobre y es posible que no quieras volver a entrar.

Tenemos que empezar a construir nuestra red para empezar a disfrutar de las ventajas de la misma. En la siguiente imagen puedes ver el aspecto que tiene un perfil de Twitter una vez hemos accedido al servicio.

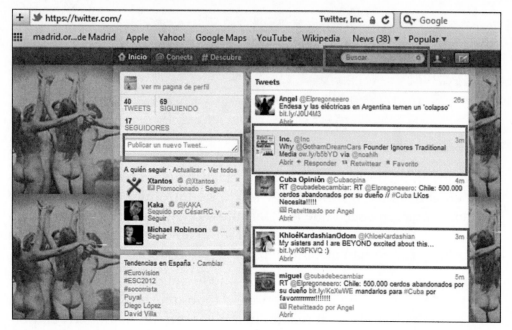

Figura 147

En la parte superior se encuentra la opción para buscar perfiles a los que seguir. Simplemente teclea un nombre y mira si es el que buscabas en los resultados.

Como puedes observar, tienes un espacio para contar lo que tú quieras en el recuadro "Publica un nuevo *Tweet*", que será el texto de longitud máxima de 140 caracteres que tú y tus seguidores leeréis.

La parte central la ocupan los mensajes de la gente a la que sigues. Sus textos de 140 caracteres los recibes en ese área de perfil denominada *Timeline*, bajo el apartado *Tweets*. En concreto, fíjate cómo este perfil de la imagen está suscrito a lo que Khole Kardashian o la revista *Inc* tienen que decir. En tu *Timeline*, todos esos mensajes de las personas a las que sigues se mostrarán ordenados del más reciente al más antiguo.

Lo primero que podemos hacer para construir nuestra red es tratar de recibir los mensajes de otra gente. Para ello, buscamos a alguien que nos interesa y seleccionaremos la opción de "Seguir" sobre el perfil que ha resultado en la búsqueda. Desde ese momento, todo lo que esa persona escriba, lo tendremos nosotros a nuestra disposición.

Figura 148

Conviene destacar que el que tú seas seguidor de alguien, Rajoy por ejemplo, únicamente significa que tú leerás lo que él escriba. Para que Rajoy lea los mensajes que tú escribes, él también debe hacerse seguidor tuyo. La relación de seguir a alguien no es bidireccional. No quiero subestimarte, pero mucho me temo que Rajoy no está muy interesado en leer lo que tengas que decir, al menos de momento.

Seguir a gente es sencillo. Ahora bien, para que un usuario lea lo que tú escribes, éste debe hacerse seguidor tuyo. Deberás contar cosas interesantes como para que haya gente interesada en lo que escribes, además de tus amigos. Recuerda que no puedes forzar a que nadie te siga.

Fijándonos de nuevo en la imagen anterior, puedes ver cómo además de la opción de seguir a ese usuario resultante de nuestra búsqueda tenemos algunas estadísticas relativas a su actividad en la red. En este caso, 13.245 personas han decidido que quieren leer todo lo que el usuario tenga que decir. ¿Sorprendente, no? Sobre todo cuando vemos que él sólo está interesado en leer lo que 38 personas escriben, es decir, sólo sigue a 38 usuarios.

Twitter tiene un carácter algo más profesional que *Facebook*, pero está igual de poblado y es igual o más interesante experimentarlo. Existen algunas otras opciones más avanzadas como los retweeteos o los hashtags, pero de momento es suficiente con lo que te he contado.

Te recomiendo que te crees un usuario y entres en Twitter. Busca gente que te interese o admires, podrás conocerlos mejor teniendo algunos detalles más sobre las cosas que hace o dice. Te llevarás alguna sorpresa agradable, aunque también algún que otro desengaño. Aún hay muchas figuras públicas que no le dan ninguna importancia a su perfil de Twitter y ni se preocupan por contar cosas interesantes. Otras veces será su agencia de medios la que escribe tweets totalmente impersonales e irrelevantes. A la larga dejaremos de seguir a ese usuario con total seguridad.

En la tienda de aplicaciones de tu *Tablet* puedes encontrar muchas aplicaciones para acceder y gestionar *Twitter* de modo que no tengas que hacerlo a través del navegador como yo te he mostrado ahora. Hay muchas y muy buenas, prueba y elige la que más te convenza, y si ninguna lo hace, accede a través del navegador en www.twitter.com.

Figura 149

Una de las aplicaciones más conocidas es *TweetDeck*, disponible tanto para *iPad* como *Android*. Con esta aplicación será muy sencillo gestionar tu cuenta de Twitter, intuitiva y con un display multipantalla que te permite mostrar varias cosas al mismo tiempo.

Figura 150

Linkedin, que traducido al español significa literalmente "enlazados", es una red social de carácter profesional, donde el perfil de usuario es básicamente el currículum vitae de la persona registrada.

Al relacionarnos con otros usuarios y "enlazarnos" compartiremos todos los datos personales y profesionales que hemos situado en nuestro perfil. Es casi como compartir nuestro currículum.

El aspecto del perfil de usuario en Linkedin puedes verlo en la siguiente imagen. Como puedes observar, tienes a mano toda la información de la trayectoria laboral y formación de cada usuario.

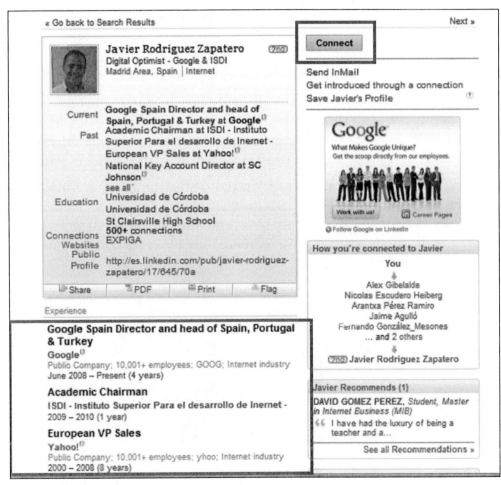

Figura 151

En Linkedin encontrarás las opciones comunes a todas las redes sociales: buscar gente, editar tu perfil, pertenecer a grupos de temáticas concretas, etc. Cuando buscamos a algún usuario dentro de la red, en la parte superior derecha tenemos la opción de poder conectar con él para comenzar a compartir información.

También encontraremos indicaciones de cómo nos conectamos con la gente y algunas sugerencias de gente con la que conectar. Nuestra red estará compuesta por gente que conocemos, nuestros "amigos", gente que podemos conocer a través de nuestros amigos y gente que está totalmente fuera de nuestra red. Esto lo descubrirás enseguida a medida que te introduzcas en la red. Son relaciones indicadas con un número, por ejemplo "2nd", lo que quiere decir que no es "amigo", sino que es amigo de nuestros amigos. Una relación de primer nivel significa que esa persona es un contacto nuestro. ¿Ves como es muy sencillo?

En esta red podremos conectar con gente con la que hemos trabajado, con la que hemos estudiado o gente que profesionalmente nos interesa. Es una red interesante puesto que la emplean muchos *head hunters* o cazatalentos a la hora de buscar profesionales para una posición vacante.

Linkedin también incluye una sección donde buscar empleo, con ofertas bastante interesantes. Los grupos a los que puedes pertenecer son bastante serios y la información que allí se intercambia suele ser de gran valor. Existen multitud de grupos, simplemente busca y verás como encuentras alguno afín a tu trayectoria.

Figura 152

Google Plus es una nueva red social de la mano de Google, tras la poca repercusión que tuvo su red de mensajes cortos inspirada en Twitter, Google Buzz. Google Plus es una red con un objetivo lúdico, en la línea de *Facebook*, y cuya temática central son los círculos de amistad con otros usuarios.

Tendremos algo denominado "Stream", que es donde veremos las actualizaciones de la gente que tenemos en nuestro "círculo", con cierto aire al muro de *Facebook*. Aquí se pueden compartir fotos, textos o incluso audio.

Es una red que aún se encuentra en fase muy temprana y como sucede con Google, no podemos predecir el futuro de su desarrollo o posible éxito. De momento no está teniendo una gran acogida, pero todo puede cambiar rápidamente en el mundo de Internet.

Figura 153

Llegó el momento de hablar de las redes orientadas a la búsqueda de tu media naranja, así que busca el peine y tu camisa de los sábados que comenzamos. He agrupado todas estas webs de manera conjunta porque se usan básicamente para tratar de conocer gente con fines amatorios o de amistad.

Algunas son de pago: *Meetic* o *Match*, otras gratuitas: *Badoo*, Hi5 o *Netlog*, pero el modus operandi es común a todas ellas. Consisten en registrarse, completar tu página de usuario o perfil de usuario con tu mejor foto y contar algo sobre ti.

En este caso, tu página o perfil de usuario puede tener un texto donde te describes a ti mismo, algunas fotos tuyas, un listado de la música que te gusta o cualquier otro tipo de dato que tenga que ver contigo. Todo depende de cómo esté diseñada la red.

Normalmente encontrarás opciones de búsqueda del tipo "Buscar Hombre o Mujer entre 0-99 años en alguna ciudad" y como resultado obtendrás los perfiles de la gente que cumple dicho filtro. A veces podrás verlos y otras no, en función del tipo de red y de si exige cierto tipo de suscripción.

Como puedes imaginar, muchos de los perfiles de otros usuarios que encontrarás son falsos y son simples reclamos, haciendo que la red parezca tener gente muy atractiva a la que conocer. Los usuarios reales y los de pega empezarás a distinguirlos rápidamente por el tipo de fotos y cosas que cuentan de sí mismos.

En algunas redes podrás tener tu grupo de amigos a lo *Facebook*, en otras podrás chatear o mandar mensajes que el otro leerá cuando se conecte, en otras te harás favorito de gente que te interesa, etc. Comprobarás que hay diferentes modos de relacionarse con los usuarios, todo depende de la red social a la que te agregues.

Hoy en día hay muchas parejas que se forman tras conocerse en alguna de estas redes. Es una buena forma de contactar con gente nueva si uno no puede salir a menudo o simplemente no le gusta salir a los bares por la noche.

Todas estas redes también tienen una aplicación propia para tu *Tablet* que te permitirá no tener que entrar a través del navegador de Internet e identificarte. Además son muy manejables, con lo que podrás fácilmente situar cada opción disponible para interactuar con otras personas. Pruébalas, algunas de ellas funcionan mejor que accediendo a la red principal a través de la página web.

Todas estas redes sociales que hemos descrito son usadas masivamente por los más jóvenes, que aún no son conscientes del riesgo que entraña compartir información o fotos a través de Internet. Te recomiendo encarecidamente que leas el último apartado de este capítulo, que trata sobre cómo protegernos en Internet y cómo protegerles a ellos, a los más jóvenes. Al menos ahora ya sabes qué pueden hacer en Internet y comprendes algo mejor su lenguaje.

No hemos entrado en detalle en alguna de las comunidades que mencionamos antes, pero te animo a que ahora que tu nivel de experiencia va aumentando busques una comunidad afín a tus gustos y comiences a participar e interactuar. En poco tiempo estarás tan "enganchado" que no serás capaz de creerlo.

7.7 Email o correo electrónico

Hoy en día, el correo electrónico o email es una de las herramientas fundamentales y más importantes que pone a nuestra disposición Internet y su capacidad para intercambiar datos entre ordenadores. El correo electrónico no es más que una versión electrónica del correo postal con el que muchos hemos crecido intercambiando cartas con nuestros amigos o primeras novias adolescentes.

Figura 154

En el universo de Internet nuestro buzón virtual en red, o lo que es lo mismo, nuestra dirección de correo electrónico, tendrá el siguiente formato: tunombre@proveedordebuzones.com

El correo se entiende mejor si se lee de derecha a izquierda. Siguiendo con el ejemplo anterior: tunombre@proveedordebuzones.com significa que dentro del proveedor de email "proveedor de buzones.com" nosotros tenemos un buzón cuyo identificador es "tu nombre". Por ejemplo, Tania@hotmail.com significa que en los buzones que tiene hotmail.com disponibles, nosotros tenemos uno asignado, cuyo identificador es "Tania".

Otro ejemplo, Mario@gmail.com significa que dentro de los buzones que nos ofrece Google (gmail.com) tenemos uno asignado, cuyo identificador es "Mario".

Las direcciones de correo de empresa suelen tener formas más complicadas. Normalmente, al trabajar para una empresa se te asigna un correo del tipo Daniel.Manero@empresa.es, donde "empresa" es la empresa donde trabajas, que te ha asignado un buzón cuyo identificador es "Daniel.Manero".

De cara a la entrega de correo, Internet se comporta como el correo postal. Las redes de ordenadores saben dónde está el proveedor de buzones "empresa.es" o "gmail.com", de modo que tu correo se dirige a través de Internet al proveedor de buzones adecuado. Una vez allí, se deposita en el buzón que el usuario destinatario de nuestro correo tiene asignado allí.

Es igual que el correo postal: una vez enviada la carta, el servicio postal se encarga de averiguar la ruta correcta hasta la dirección de destino. Cuando tiene identificado el buzón en la dirección dada, se entrega la carta.

Podemos realizar diversas clasificaciones de correo, tantas como características diferentes te puedas imaginar, pero lo más útil para nuestro propósito es saber que hay dos tipos de correo electrónico: correo web o correo local.

Veamos en primer lugar qué es el correo web o webmail. El correo web es todo sistema de correo electrónico en el que para acceder a nuestro correo, leer correos recibidos, enviar uno nuevo o cualquier otro tipo de operación tendremos que acceder a una página web de Internet, como si estuviéramos navegando.

En dicha página, deberemos introducir un usuario y una contraseña para identificarnos como dueños de ese buzón de correo. Puedes verlo como la llave de tu buzón de casa.

Lo bueno de este tipo de correo es que podemos leerlo desde cualquier ordenador con conexión a Internet. No necesitamos estar en nuestro *Tablet* para leer el correo, desde el ordenador de tu primo en Andorra también podrás leer y contestar al correo urgente. Es un correo independiente del dispositivo que uses para acceder a él, puesto que para la gestión del mismo sólo necesitas poder visitar la página web de entrada a tu correo. Desde qué *Tablet*, ordenador o navegador accedas a esa página web será indiferente.

El correo local significa que tendremos una aplicación específica instalada en nuestro *Tablet* para manejar el correo electrónico. Esta aplicación se encarga de hablar con el proveedor de buzones, permitiéndonos leer, escribir o enviar correos electrónicos. Tendremos que configurar esta aplicación en nuestro dispositivo con los datos de nuestra cuenta de correo y servidor o proveedor de correo electrónico.

Algunos *Tablets* ya tienen un programa de correo electrónico incorporado, como es el caso de *iPad*. Aun así, tienes muchísimas aplicaciones para gestionar correo en tu *Tablet*, que puedes descargar de la tienda correspondiente. Entre las más conocidas están K9, *Sparrow* o *MailDroid*.

Figura 155

Los proveedores de buzones más conocidos como Hotmail, Yahoo Mail o Gmail (Google Mail) también tienen una aplicación específica para tu *Tablet*. Si tienes un correo con alguno de estos proveedores, simplemente descárgate su aplicación, funcionan de maravilla.

Figura 156

Si lo que buscas es sencillez, es mucho más sencillo que te hagas con un correo web, que normalmente son gratuitos y que además, al solo necesitar Internet para acceder como comentaba antes, podrás consultar desde cualquier ordenador con conexión.

Existen distintos proveedores de correo electrónico web. Lo más recomendable es crearse uno en alguno de los proveedores de buzones gratuitos como Google (Gmail), Hotmail o Yahoo Mail. También tienes otras alternativas como inbox.com que funcionan igual de bien que las anteriores.

Ahora bien, ¿cómo me hago una cuenta de correo electrónico web? Crear nuestro propio email es sólo cuestión de rellenar un formulario con cierta información. En este caso vamos a elegir crear un correo de Hotmail (los buzones gratuitos de Microsoft). Ten en cuenta que crear un correo en Gmail, Inbox o Yahoo se realiza de forma similar.

Simplemente abre tu aplicación para navegar por Internet una vez más y en la barra de navegación teclea la dirección del proveedor de buzones: hotmail.com

Figura 157

Ahora, deberías estar viendo la página principal de Hotmail, donde tenemos tanto la opción de identificarnos, si ya tuviéramos un correo Hotmail, como la de crear uno nuevo. Nosotros vamos a crear uno nuevo, es decir, crear un nuevo *"Windows* Live Id". En la parte derecha tienes la opción de identificarte e iniciar sesión en tu correo (en inglés *"Sign in"*), pero la parte que nos interesa está en la franja inferior: queremos registrarnos para crear nuestro propio *"Windows* Live Id" (en inglés "Sign up").

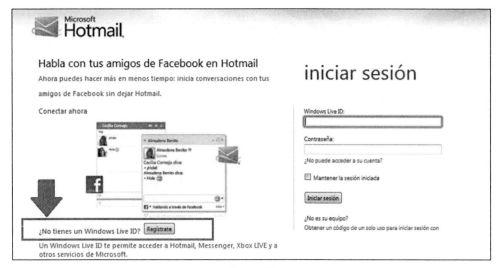

Figura 158

Como ya has adivinado, esta página de inicio será la misma para acceder a tu cuenta una vez creada.

De momento, cuando pulsas en la opción de registrar una nueva cuenta, observarás cómo aparecerá ante tus ojos un formulario que debes rellenar para crear tu cuenta de correo electrónico.

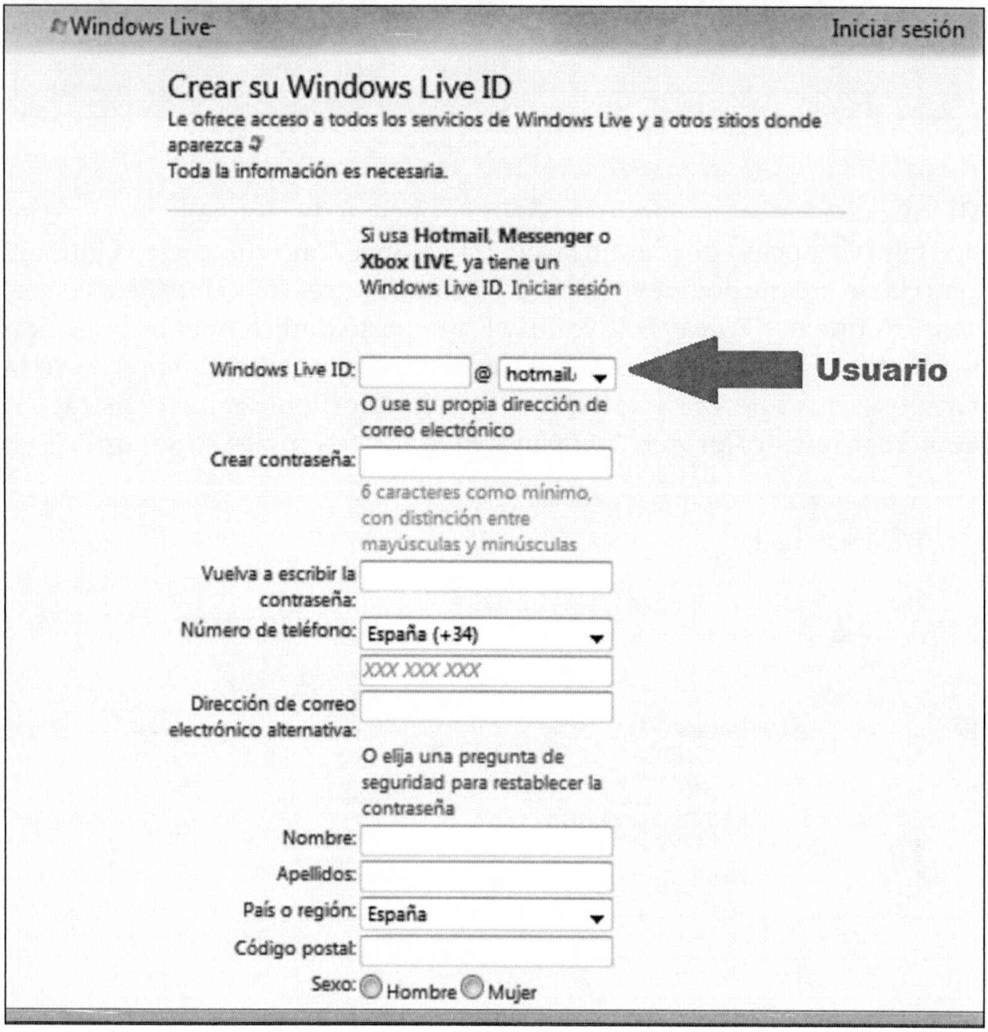

Figura 159

Ahora, sólo nos queda rellenar los campos del formulario y tendremos nuestra nueva dirección de correo electrónico.

Sin duda el campo más importante es el nombre de usuario. Éste será tu identificador de buzón, lo que hay antes de la "@", así que piénsalo muy bien antes de elegir uno.

El principal problema que encontrarás es que el nombre que elijas ya esté siendo usado por otra persona: "daniel@hotmail.com" y todo ese tipo de nombres más comunes de usuarios seguramente ya estarán siendo

174

usados por alguien. Hay mucha gente suscrita a Hotmail y los nombres más fáciles de recordar ya suelen tener dueño.

Tu nombre y apellidos serán los que aparezcan cuando envíes un correo a alguien. No tienes por qué poner siempre tu nombre de verdad, nadie va a comprobar si mientes, pero sí es recomendable que pongas los correctos. Cuando envíes un correo a alguien, ese alguien verá algo similar a esto:

*2011/11/30 **Daniel Manero** <danmanber@hotmail.com>*

Buenos días, ….

Como ves, tu nombre y apellidos aparecerán como parte de la dirección del remitente, además de tu dirección de correo. Si te preguntas por qué, la respuesta es sencilla: imagina que tu dirección de correo elegida es danmanber@hotmail.com y tu nombre y apellido no estuvieran añadidos a la identificación del remitente. La persona que reciba un correo de tal dirección de correo electrónico ("danmanber") seguramente no te identifique y quizá ni mire tu correo. Sin embargo, si has rellenado tu nombre y apellido correctamente, lo que verá será "Daniel Manero, danmanber@hotmail.com", con lo que es más posible que te identifiquen y quieran leer tu correo. Aunque quizá sea justo ahora, que saben quién eres, cuando no quieran leer tu correo.

Como te decía, la parte más difícil es encontrar un nombre de usuario libre y apropiado para nosotros. Tendrás que jugar con diferentes nombres de usuario hasta que des con uno que te guste y además esté libre. No debe ser demasiado largo ni demasiado corto. Por ejemplo, "DanielManeroDeTodosLosSantosEulogio@hotmail.com" es demasiado largo; "jgl" es demasiado corto y seguramente esté ya ocupado; "CapitanCoheteNocturno" es demasiado… cohete… ¿Realmente quieres que cuando te pregunten en el banco "¿me da usted su email para enviarle la información?" tengas que decir que tu email es *CapitanCoheteNocturno@ hotmail.com?*

Sobre el campo de la contraseña no hay mucho que decir, debes elegir una que te sea fácil recordar. Antes era más sencillo, no se requería una contraseña demasiado compleja, el nombre de tu novio/novia era suficiente. Sin embargo, los sistemas de seguridad ahora piden que la contraseña contenga una letra mayúscula, números y que al menos sea de 8 dígitos. Tendrás que escoger algo complejo del tipo: "%Nosequieneres3". No hay duda que la contraseña será muy segura, de hecho te costará recordarla incluso a ti.

Otro campo importante es la pregunta de seguridad, porque al crear tu primer correo no tendrás una dirección de correo alternativa. Cuando algún día se te olvide tu contraseña, siempre podrás recuperarla respondiendo a la pregunta de seguridad. Se trata de preguntas tipo: "nombre de tu abuela", "ciudad de nacimiento" o similares. Si respondes correctamente, tu contraseña será restablecida.

Al crear tu cuenta normalmente tú mismo eliges la pregunta que se te hará y la respuesta que deberías dar para que te devuelvan la contraseña si algún día la olvidas. Por eso el sistema sabrá en el futuro si la respuesta que das es correcta o no, tú mismo contestaste a la pregunta por adelantado al crear tu cuenta.

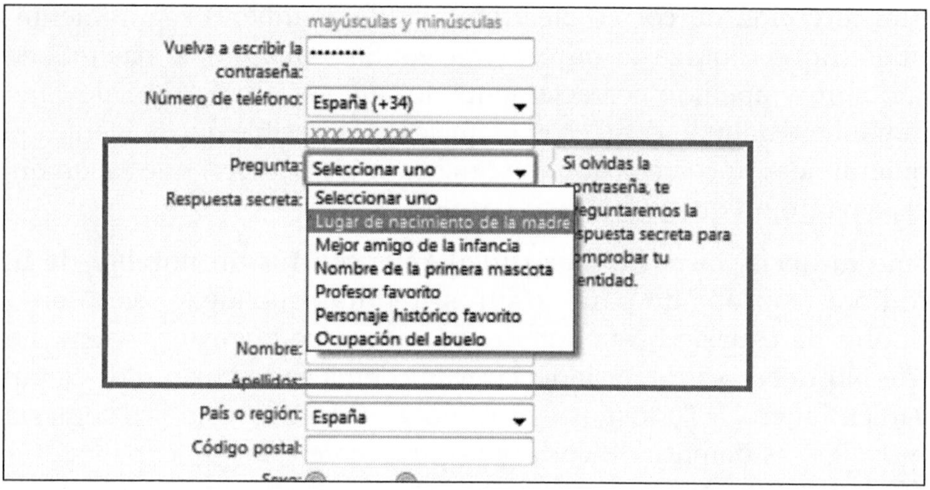

Figura 160

Algunas veces te dejarán escribir a ti mismo la pregunta o bien tendrás que responder a una serie de preguntas del mismo tipo que las de arriba. Asegúrate de dar una pregunta y respuesta poco ambigua, que siempre suelas contestar lo mismo, de modo que te sea sencillo contestarla en un futuro.

Una vez rellenado el formulario correctamente, ya tendremos disponible nuestra dirección de correo electrónico web. Para empezar a usarla y enviar correos con fotos divertidas a nuestros amigos, debemos volver

176

a la misma página que usamos para crearla. En lugar de registrarnos de nuevo, simplemente nos identificaremos con el nombre de usuario y contraseña que hemos elegido.

iniciar sesión

Windows Live ID:

Contraseña:

¿No puede acceder a su cuenta?

☐ Mantener la sesión iniciada

Iniciar sesión

¿No es su equipo?
Obtener un código de un solo uso para iniciar sesión con

Figura 161

¡Ya tienes tu correo web listo! Recuerda que desde cualquier sitio donde tengas acceso a Internet y puedas ver páginas web, podrás identificarte y leer tu correo.

Hemos visto cómo crear una cuenta de correo web gratuito de Hotmail, pero los demás proveedores de correo web funcionan de modo similar. Para crear un correo con otro proveedor encontraremos los mismos campos a rellenar y una página de acceso y registro muy parecida.

En la siguiente imagen puedes ver otro ejemplo. En este caso, el formulario necesario para crear una cuenta de Gmail. Como puedes comprobar, en su mayoría son campos similares o al menos muy relacionados. Estoy convencido de que en este punto podrás crear también una cuenta de correo de Gmail sin mayor dificultad. Teclea en tu barra de exploración la dirección de correo electrónico de Google: mail.google.com. Sigue la opción de crear una nueva cuenta y darás con el formulario.

Figura 162

Si quisiéramos crear una cuenta de Yahoo Mail, de modo similar llegaríamos a otro formulario del mismo tipo.

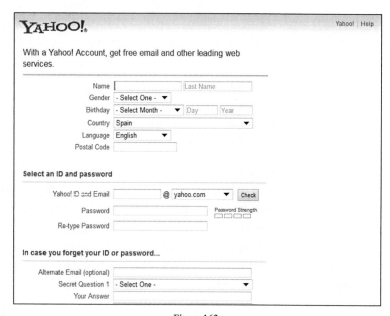

Figura 163

En la mayoría de páginas, los campos obligatorios a rellenar los verás marcados con un (*). Tenlo en cuenta y procura no dar más información de la estrictamente necesaria o, en muchos casos, te verás inundado de publicidad en un futuro no muy lejano. Los formularios para crearse un email pueden cambiar en cualquier momento, añadiendo o quitando campos en función del proveedor de correo. Sin embargo, ya conoces los principales campos a rellenar y desde dónde hacerlo, estoy seguro de que podrás afrontar cualquier cambio con total solvencia.

Ahora que ya tienes tu correo electrónico web puedes hacer dos cosas: puedes entrar en tu aplicación para navegar por Internet y de allí acceder al correo, o bien puedes bajarte la aplicación correspondiente al proveedor de buzones en el que has creado tu correo.

Me estoy refiriendo, por ejemplo, a la aplicación de Hotmail para *iPad*, que te permitirá gestionar tu correo sin tener que hacerlo a través de la aplicación para navegar por Internet. La aplicación de Gmail que hemos visto antes o la de Yahoo Mail tendrían un uso similar si tuvieras un correo de alguno de esos proveedores.

Figura 164

También puedes descargar algunas aplicaciones de email genéricas, como K9 o DroidMail, donde configurarás tu cuenta de Hotmail o Google Mail para usarla dentro de dicha aplicación.

Conviene destacar que *iPad*, como te decía, ya incluye una aplicación de correo, denominada "Mail", la que te destaco de nuevo en la siguiente imagen.

Figura 165

Es sencilla de configurar y puedes usarla para leer y escribir correos con alguna de las cuentas gratuitas que hemos visto: Hotmail, Gmail, Inbox o Yahoo Mail. Simplemente entra en los ajustes de tu *iPad* y selecciona la cuenta gratuita que dispones. Lo demás es pan comido.

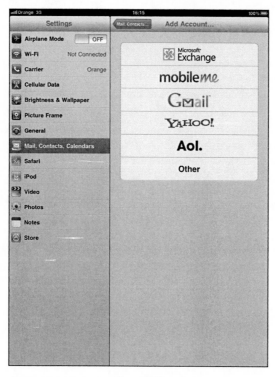

Figura 166

7.8 *Skype* versus *Facetime*

Seguro que te suena la palabra *Skype*. Es una palabra de moda últimamente y has debido oírla en boca de alguno de tus amigos o colaboradores.

Skype es un programa que puedes descargar para tu PC, es una aplicación para tu *Tablet* e incluso es una aplicación para tu móvil. A grandes rasgos, nos ofrece la posibilidad de hacer llamadas y vídeollamadas gratuitas entre usuarios de *Skype*, intercambiar mensajes de texto (chats) e incluso, aunque ya no de manera gratuita, hacer llamadas telefónicas a números tradicionales de la red publica telefónica.

Apple, en su *iPad*, ha desarrollado una aplicación similar que permite las vídeollamadas entre otros usuarios de *iPad*. Se denomina FaceTime.

FaceTime. All the better to see them with.

You can tell them how you're doing. Or you can show them.
FaceTime on iPad lets you have it both ways. From anywhere in the world.[3]

Tap FaceTime to make a video call.
FaceTime closes the distance between you and the people you care about — from miles to inches. To make a video call, tap FaceTime. Your favorite folk appear on the right. Select a name, wait for the person to accept the call, then smile big.

Switch between cameras during a call.
On the front of iPad is a FaceTime camera. On the back is an iSight camera. iPad lets you switch between them anytime during a call. So one minute your friends see you, and the next they see what you see.

Start with your Apple ID.
All you need to start making FaceTime video calls is an Apple ID. If you've purchased anything from the iTunes Store or the App Store, you already have one. If you need an Apple ID, you can create one at My Apple ID.

Figura 167

Mediante FaceTime podremos ver y oír a la persona con la que estamos comunicándonos en tiempo real. Es un paso más allá de la mensajería instantánea. La comunicación real extendida al audio y el vídeo. El problema de FaceTime es que sólo nos permite comunicarnos con otros usuarios de *iPad* o *iPhone*.

¿Qué pasa con el resto de usarios? ¿Existe alguna herramienta algo más universal? Aquí es donde *Skype* gana el partido. Como hemos dicho antes, un usuario de *Skype* puede estar registrado en su PC, en su teléfono o en su *Tablet*. Está disponible para cualquier tipo de *Tablet*, teléfono y sistema operativo.

Para hablar de *Skype* y de los posibles ahorros en teléfono que podemos tener a través de él necesito que entiendas primero cómo es posible que la voz se transmita a través de las redes de ordenadores.

La voz sobre IP, conocida como VoIP, nace con la idea de usar la infraestructura de Internet para hablar por teléfono.

Para ello, primero tenemos que convertir la voz tradicional al lenguaje que los ordenadores entienden, esto es: unos y ceros. Este proceso se denomina codificar o digitalizar la voz. Mediante una serie de complejas operaciones y algoritmos, se consigue que nuestra voz pueda ser representada, almacenada y por supuesto transmitida como unos y ceros.

Una vez tenemos la voz en un lenguaje que nuestro ordenador o *Tablet* es capaz de manejar, lo que hacemos es enviarla a nuestro destino mediante la misma red que tenemos en casa o en la oficina y que ya usamos para navegar por Internet.

En su destino, los unos y ceros que se reciben son traducidos a una señal eléctrica, que tras ser enviada a los altavoces nos permitirá escuchar la voz.

Esto no es nada distinto a hablar por teléfono del modo en que hemos hecho tradicionalmente. Cuando hablamos a través del teléfono nuestra voz se convierte en impulsos eléctricos en el micrófono, que serán transmitidos por la red telefónica. En el otro extremo, esos impulsos eléctricos se entregan a un altavoz, que los convierte de nuevo en una señal audible.

Digitalizar la voz es un proceso muy común y en el que estás involucrado a diario. Al hablar por tu móvil, tu voz se digitaliza para ser transmitida como unos y ceros al otro extremo; cuando escuchas música en tus reproductores de MP3 también ésta está compuesta por unos y ceros. Incluso tus antiguos CD de música eran series de unos y ceros consecutivos.

Skype fue uno de los primeros programas que nacieron con el objetivo de usar las redes de ordenadores para transmitir voz. Hoy sigue siendo uno de los programas para hablar por Internet más empleados y con más usuarios alrededor del planeta. *Skype*, que era una compañía independiente, ahora pertenece a Microsoft, lo que va a permitir una integración aún mejor de la herramienta en los sistemas operativos.

Figura 168

Antes de cualquier operativa con *Skype*, necesitaremos crear una cuenta de usuario. El proceso es similar al de crear un correo electrónico, simplemente rellenando un formulario en su página web. Esto lo tienes ya superado, ¿verdad?

Abre tu aplicación para navegar por Internet, dirígete a www.skype.com y cuando la tengas en tu pantalla busca en la parte superior la opción de registrar un nuevo usuario. Fíjate en la imagen siguiente.

Figura 169

Una vez pulsado "Únete", tendremos el formulario a rellenar con los ya conocidos campos de usuario, nombre o apellidos. En este formulario se usa la verificación por email, es decir, necesitamos introducir nuestro email correctamente para que cuando hayamos terminado de rellenar el formulario *Skype* nos envíe un email a esa dirección. El objetivo es comprobar que el email es correcto y existe. Dentro de ese correo que nos envía *Skype* tendremos que pulsar un enlace como último paso para tener nuestra cuenta activa. Nada complicado o que no hayas visto antes.

Figura 170

Ahora que ya tenemos un usuario *Skype*, tendremos que descargarnos su aplicación correspondiente desde la tienda de aplicaciones, es gratuita.

Para hablar por *Skype* con otra persona, ésta debe tener el programa *Skype* instalado en alguno de sus dispositivos, debe estar registerada y además debe ser parte de nuestros contactos para poder comunicarse con nosotros. Exactamente igual que para poder chalar mediante mensajería instantánea con algún sistema, como ocurre con Messenger.

De este modo, podremos hablar con nuestros contactos de forma gratuita, ya sea de *Tablet* a *Tablet*, de *Tablet* a ordenador o de *Tablet* a móvil. Tienes la posibilidad de agregar contactos en la parte superior de la aplicación, donde aparece el símbolo de suma, pero necesitarás saber el correo electrónico o el nombre de usuario *Skype* de la persona que queremos añadir.

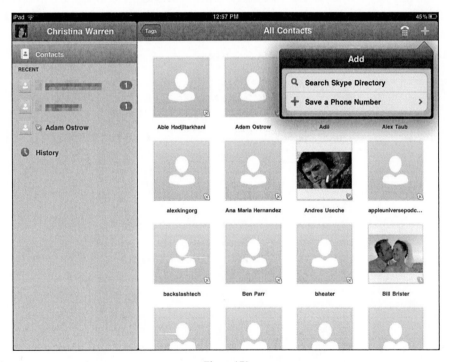

Figura 171

Una vez añadido, ya podréis chatear, llamar e incluso hacer vídeollamadas. Imagina lo que te puedes ahorrar al hablar mediante *Skype* en lugar de por teléfono con tu hijo que está en Berlín haciendo Erasmus, o para hablar con tu novia de viaje con sus amigas por Italia. Todo esto podrás hacerlo vía *Skype* de ordenador/Tablet/móvil a ordenador/Tablet/móvil y no tendrás que pagar facturas por el teléfono tradicional.

La pregunta que puede surgir ahora es si puedes llamar a un número de teléfono normal de los de toda la vida, como a casa de tu madre. La respuesta es que también puedes hacerlo vía *Skype*. Con esta herramienta podrás marcar números del tipo 91543XXXX (nacionales), móviles e incluso números internacionales (+337878XXX), pero tendrás que pagar por los minutos que uses, pues esta funcionalidad no es gratuita.

Sólo serán totalmente gratis las llamadas que se hagan de un dispositivo informático a otro, es decir, entre usuarios de *Skype* que se llaman a través de Internet cuando ambos están online.

Para llamar a números de teléfono tradicionales, no a un PC, debemos elegir algunos de los planes de pago disponibles en la web de *Skype*. Estos planes van cambiando de manera frecuente. Simplemente escoge el que más se adapte a tus necesidades.

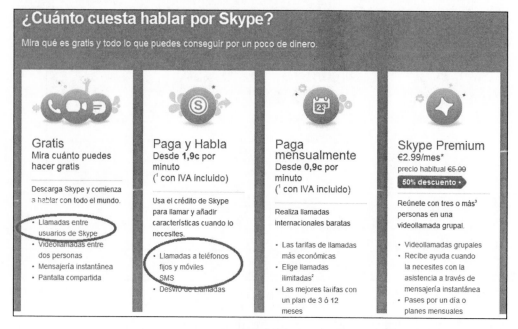

Figura 172

Lo que sí es seguro es que usar cualquiera de estos planes de pago seguirá siendo más barato que llamar desde tu teléfono al extranjero o a móviles.

En los últimos tiempos han aparecido muchas aplicaciones similares a *Skype* debido al éxito de la tecnología VoIP. Algunas son para *Tablet* y otras para *smartphones*. Algunos nombres que debes tener en cuenta son: Nimbuzz, Viber o Tango.

7.9 *WhatsApp*

Es casi obligado hacer una pequeña mención al fenómeno *WhatsApp*. Si no lo conoces ya, corres el riesgo de quedar desactualizado de la forma en que la gente se comunica en la actualidad. No te lo permitas.

En principio, *WhatsApp* es una aplicación que podemos descargar en nuestro *smartphone*. No tiene una aplicación para *Tablets* a día de hoy, pero su rápida evolución y su gran acogida hace que sea un sistema de mensajería que debes conocer. Básicamente, nos ofrece la posibilidad de intercambiar mensajes o chatear con otros usuarios de *WhatsApp* a través de nuestro teléfono de última generación. Estos mensajes también pueden incluir fotos, audio o coordenadas de localización.

Figura 173

WhatsApp usará la conexión a Internet disponible en tu móvil para intercambiar estos mensajes. No tiene nada que ver con los SMS y no tiene ningún coste por mensaje.

El éxito de *WhatsApp* frente a otros sistemas de mensajería instantánea, como puede ser el que ofrecen *Skype* o *Messenger*, tiene mucho que ver con la forma en que un usuario accede al servicio. Para darse de alta como nuevo usuario en *WhatsApp* no necesitamos un registro previo ni rellenar formulario alguno.

Nada más instalar la aplicación e introducir tu número de móvil ya podrás comenzar a chatear con los mismos contactos que tienes en tu agenda telefónica y que también tienen *WhatsApp*. Olvídate de crear un usuario, buscar amigos, conectarse, etc., con *WhatsApp* chatear con la gente de nuestra agenda telefónica es inmediato.

La gente con la que interactúas en la herramienta tendrá el mismo nombre que tiene en nuestra agenda del móvil. Tendremos indicación de presencia, confirmación de lectura de nuestros mensajes, mensajes en grupo, etc. Una maravilla.

Figura 174

WhatsApp es una forma de comunicación que nos permite, en tiempo real, estar en contacto con nuestros amigos de una forma más sencilla y económica. No te lo pienses e instálatelo.

7.10 ¿Qué pasa con mis niños en Internet?

Internet, con todas sus ventajas, es también un ecosistema lleno de riesgos, sobre todo para los más pequeños. Aunque es asombroso lo fácil que les resulta dominar un *Tablet* o un ordenador, también es cierto que no dejan de ser niños en un mundo hecho por y para adultos, estando expuestos potencialmente a una serie de situaciones peligrosas mientras pasan horas en Internet.

Internet es una puerta a un mundo lleno de posibilidades, tanto buenas como malas. Debemos poner ciertos límites al uso y acceso que ellos tienen de la red, de modo que podamos protegerlos aunque sea mínimamente. La mejor forma de protegerlos, sin duda, es estar informados. Leer este manual es un buen paso inicial para comprender, de manera muy básica, este nuevo lenguaje y forma de relacionarse que tiene que ver con Internet.

Sin embargo, es más que conveniente que emplees algo de tiempo en leer la información disponible en las numerosas agencias y asociaciones que pretenden informarnos sobre los diferentes riesgos a los que nuestros jóvenes se pueden enfrentar, entre ellos: acceder a contenido que no deberían ver a su edad, chatear con gente desconocida, intercambiar fotos u otro tipo de información privada con desconocidos o incluso sufrir acosos o chantajes de otras personas en base a cierta información intercambiada.

El primer sitio que debes leer con suma atención es la página web que pone a nuestra disposición la Asociación de Internautas: http://www.seguridadenlared.org/menores/

Figura 175

Algunas otras páginas que también te recomiendo visitar son las siguientes:

- http://www.protegeles.com/
- http://www.inteco.es

Recuerda que si tenemos alguna sospecha o indicio, podemos recurrir a la Policía Nacional. Su grupo de delitos informáticos trabaja con gran eficacia y rapidez.

Es mucho mejor prevenir antes que llevarnos un susto desagradable. Todos los conocimientos que has adquirido en la lectura de este manual seguro que te sirven para entender y explicar los potenciales riesgos a tu familia. Recuerda que ahora tú ya sabes lo que es un sistema operativo, cómo funciona el email o cómo se interactúa en las redes sociales. Conoces el lenguaje y sólo te falta un poco de práctica. Infórmate para estar más protegido.

7.11 Seguridad en Internet para dispositivos móviles

7.11.1 Dispositivos móviles y *smartphones*

La mayoría de nosotros disponemos de un teléfono móvil que nos permite llamar, enviar mensajes, hacer fotos, consultar la agenda, etc. Ya que es un dispositivo muy personal y con mucha información privada, es un buen motivo para mantenerlo seguro.

Protege tu móvil

Al igual que usas pautas de sentido común cuando utilizas tu ordenador, no las olvides cuando utilices tu móvil. Sobre todo debes tener en cuenta el tipo de información que guardas en él: las fotos personales, los mensajes que recibes, tu agenda de teléfonos, etc. Toda esta información privada y personal es muy importante, ya que contiene tus datos personales y los de tus contactos.

Para mantener seguro tu móvil asegúrate de proteger:

- **Tu tarjeta de memoria.** *Normalmente guarda los datos personales: fotos, música, calendario de eventos, etc. Esta tarjeta se puede extraer,* *guárdala si no vas a utilizar el teléfono y haz copias de seguridad regularmente.*

- **La tarjeta de la operadora (SIM)**. *Nos permite realizar las llamadas. Protégela con una contraseña (PIN). En caso de robo, contacta con tu operador para bloquearla. Realiza copias de seguridad de tus datos periódicamente.*

- **El teléfono o terminal**. *Evita dejarlo en lugares en los que te lo puedan robar. En caso de pérdida o robo, denúncialo a la policía y comunícalo a tu operador. Apunta el número identificativo del teléfono (IMEI) para indicárselo al operador en estos casos. Protege tu móvil con una contraseña, y haz que se bloquee automáticamente cuando lo dejes de usar un tiempo determinado. Apágalo cuando no vayas a utilizarlo.*

- *Mantén el software de tu móvil actualizado.*

Bluetooth

La mayoría de los móviles disponen de un mecanismo para comunicarse con otros dispositivos mediante Bluetooth. Esto no es más que una forma de que dos dispositivos cercanos se entiendan para intercambiar información, bien con otro móvil, ordenador, impresora, etc.

Por ello, te recomendamos que sigas las siguientes recomendaciones en relación al Bluetooth:

- *No aceptes conexiones de dispositivos desconocidos.*

- *Cuando no lo utilices, apaga el Bluetooth.*

- *Cuando lo actives, hazlo en modo "invisible", para que cualquier persona desconocida no pueda saber si estás conectado.*

Contraseñas en tu móvil

Tu móvil alberga gran cantidad de datos personales que debes proteger con contraseñas seguras. La primera que debes activar es el PIN o número de identificación personal, ya que impedirá en caso de robo que otras personas puedan activar tu móvil para realizar llamadas, consultar tu agenda, etc.

No guardes el código personal o PIN con el número de desbloqueo PUK, que te proporciona tu operador.

Utiliza la contraseña que bloquea el teclado de tu móvil; de esta manera, cuando no lo estés utilizando protegerá tu dispositivo si te lo dejas olvidado o te lo roban.

Fraude

La mayoría de los fraudes a través del móvil vienen derivados de incitar al usuario a llamar a números de tarificación especial, 800, 77x, 905... Publicidad engañosa a través del envío de mensajes fraudulentos para ganar "regalos increíbles", puestos de trabajo, líneas eróticas, consultorios sentimentales o de tarot. Evita contestar a estos mensajes.

Amenazas móviles

Tu móvil puede ser vulnerable si no lo proteges, ya que está expuesto a las mismas amenazas que los ordenadores, al fin y al cabo es un miniordenador de mano. Por ello, sigue las recomendaciones de seguridad básicas, igualmente que lo haces para tu ordenador personal.

Si te vas a conectar con tu móvil a una red *WIFI*, asegúrate de que es una red segura, y no una red desconocida que pueda poner en peligro tu información personal y tu móvil.

7.11.2 Configurar nuestra red *WIFI* para que sea segura

Todas las medidas que hemos tomado hasta ahora eran para poder navegar de forma segura en la Red pública (Internet), que existe "hacia el exterior" de nuestro router ADSL. Una vez que ya tenemos nuestro equipo configurado y preparado, damos un paso más en seguridad y lo aplicamos a nuestra red local, es decir, la red interna que existe desde el router "hacia dentro".

Cuando hablamos de red local, nos referiremos a la red formada por los ordenadores y el router de nuestro hogar o la red local de una pyme, compuesta por varios ordenadores, impresoras, cualquier periférico y el mismo router. La filosofía y el objetivo es el mismo: proteger el perímetro interno de intrusos.

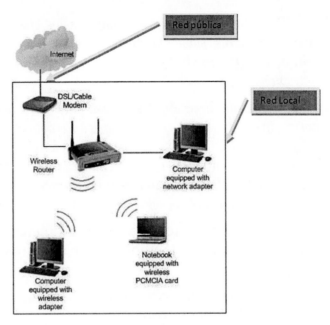

Figura 176

Antes de comenzar, debemos entender unos conceptos básicos de fundamentos de redes para poder comprender las medidas de seguridad que vamos a aplicar:

- **Dirección IP**. *Es un número único que identifica un dispositivo (ordenador, impresora, router, etc.) de red dentro de la propia red. Es una especie de DNI que hace a cada dispositivo identificable y único. El formato de una red IP tiene este aspecto: 192.168.1.129*

- **SSID** (*Service Set IDentifier*). *Es un nombre incluido en todos los paquetes de una red inalámbrica (WIFI) para identificarlos como parte de esa red. El código consiste en un máximo de 32 caracteres que la mayoría de las veces son alfanuméricos (aunque el estándar no lo especifica, así que puede consistir en cualquier carácter). Todos los dispositivos inalámbricos que intentan comunicarse entre sí deben compartir el mismo SSID.*

- **DHCP** (*sigla en inglés de* **D**ynamic **H**ost **C**onfiguration **P**rotocol - **Protocolo de configuración dinámica de** *host*). *Es un protocolo de red que permite a los clientes de una red IP obtener sus parámetros de configuración automáticamente. Se trata de un protocolo de tipo cliente/servidor en el que generalmente un servidor posee una lista de* *direcciones IP dinámicas y las va asignando a los clientes conforme éstas van estando libres, sabiendo en todo momento quién ha estado en posesión de esa IP, cuánto tiempo la ha tenido y a quién se la ha asignado después.*

- **MAC.** *Es otro tipo de dirección y es única para cada tarjeta de red que se fabrica en el mundo, pues cada fabricante aplica su propio código de identificación bajo un estándar internacional. Es una forma de identificar nuestro equipo y aplicar medidas de seguridad en forma de filtros para limitar el acceso a una red. Lo veremos con más detalle cuando apliquemos filtros al router.*

Todo router ADSL es configurable a través de un menú por el cual se accede vía web, que nos permite modificar los parámetros internos del router.

Así, lo primero que hay que hacer es abrir el navegador y escribir la dirección IP del router para poder configurarlo.

Es importante saber que cuando contratamos un servicio de ADSL el router viene con un usuario y contraseña en la documentación que se nos entrega. A parte de eso el router viene con un SSID establecido (se puede modificar) por la compañía telefónica, una contraseña que todo ordenador debe introducir la primera vez que se conecte y que no tiene nada que ver con la contraseña de acceso al menú de configuración del router y, por último, con un protocolo de encriptación de datos. Algunos de estos parámetros son modificables desde el menú de configuración; otros no, los suelen venir con una etiqueta en la carcasa del router que tendremos en casa o en la oficina. Son datos importantes a cuidar y no lo dejaremos a la vista de todos.

Dicho esto, veamos cómo aplicar las medidas de seguridad:

Lo primero es cambiar la contraseña de acceso al menú de configuración, puesto que si un hacker entrase en nuestro router podría dejarlo inservible o dejarnos sin red. Hay que saber que el usuario y la contraseña suelen ser la misma para cada router de proveedor de telefonía y hay webs especializadas donde están publicados todos los usuarios y contraseñas de casi la totalidad de los modelos de routers. Veamos paso a paso cómo modificaremos los parámetros para un router ADSL de Jazztel del modelo HG536+ (tened en cuenta que cada router es distinto).

1.   Abrimos el navegador y escribimos la dirección IP (sólo IP partir de ahora); en nuestro caso es 192.168.1.1. El sistema nos responde con la siguiente pantalla.

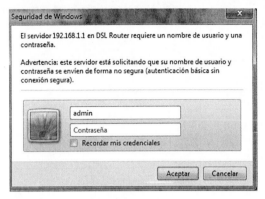

Figura 177

2.   Nos solicita un usuario y contraseña. En usuario escribimos **admin** y en contraseña escribimos **admin** también (ambos vienen de fábrica).

3.   Accedemos al menú principal del router después de introducir la contraseña.

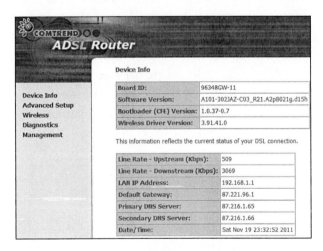

Figura 178

4.   Hacemos clic en la opción WIRELESS (INALÁMBRICA) en la columna de la izquierda; se despliegan todas las propiedades de la red WIFI. Marcaremos las casillas ENABLE WIRELESS (habilita nuestra red WIFI) y HIDE ACCESS POINT (ocultar punto de acceso). Sólo nosotros sabremos que la red existe y cuando un extraño se acerque a nuestra red con un dispositivo WIFI cualquiera, su sistema detectará la red, pero no podrá verla y por consiguiente no podrá conectarse).

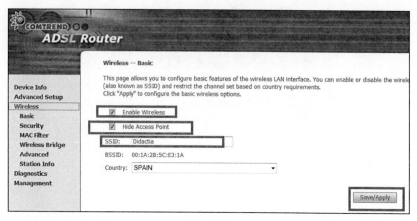

Figura 179

5.   *Modificamos el nombre de la red SSID por otro nuevo ("Didactia" en el ejemplo).*

6.   *Pulsamos SAVE/APPLY para guardar los cambios.*

El router por defecto cifra los datos de forma que sean ilegibles para un desconocido, para eso utiliza el protocolo WEP con un cifrado de 128bits por defecto, si bien lo aconsejable es utilizar un protocolo más robusto, como el WPA, aumentando la seguridad de forma importante, pero esto implica configurar cada ordenador o dispositivo de nuestra red local con ese mismo protocolo de cifrado, si no lo hacemos así, los ordenadores no se entenderán con el router y por consiguiente no tendrán acceso a la Red pública (Internet). La siguiente pantalla muestra cómo modificar la encriptación de nuestro router por WPA.

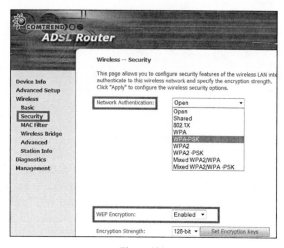

Figura 180

Finalmente, el uso del sentido común deberá estar siempre presente; por este motivo cambiar la contraseña con frecuencia y apagar el router cuando no estemos en casa nos ayudan a proteger nuestra red.

7.11.3 Copias de seguridad (*Backup*)

Llegamos quizás a uno de los últimos eslabones que componen la seguridad de un sistema informático, de una importancia fundamental y que suele ser el eterno olvidado.

Desde mi punto de vista, la importancia de tener copias de seguridad es tan grande que no haría falta recordarlo. Si bien es cierto que medianas y grandes corporaciones tienen planes de copias bien establecidos, no ocurre lo mismo con la gran mayoría de usuarios domésticos y pequeñas empresas o autónomos. ¿Se ha pensado realmente cuánto costaría perder todos los archivos más importantes?

Toda la seguridad que hemos implementado hasta ahora carece casi de sentido si no hacemos copias de seguridad regularmente de nuestros datos más valiosos.

Hacer copias suele ser aburrido y lleva tiempo, por lo que la mayoría de los usuarios opta por dejarlas para mañana. Como esa opción no sirve para nosotros, vamos a estudiar técnicas de copias automáticas que nos permitirán ahorrar tiempo.

Copias locales

Para hacer las copias nosotros utilizaremos un disco duro extraíble, por su capacidad de almacenaje y facilidad de transporte es una opción mucho más idónea que los DVD o pendrives.

- *Windows incorpora una serie de herramientas que nos ayudan en la tarea de hacer copias y de crear discos de reparación por si nuestro sistema fallara y no arrancara. Veamos cada una de estas soluciones.*

- **Crear una imagen de sistema.** *Windows creará una réplica exacta de todo el contenido de su disco principal, con todos los programas, sus configuraciones y preferencias. Será una copia exacta, tal como la tengas en ese momento. Esto ocupa mucho espacio y no es una opción acertada para hacerlo periódicamente por su duración y necesidad de mucho espacio en un disco externo.*

- **Crear un disco de reparación**. *Un disco de recuperación es una buena opción como complemento a nuestras copias, nunca como sustituto. Esta opción crea un DVD de arranque con los archivos necesarios para reconfigurar nuestro disco de sistema y habilitarlo para que vuelva a arrancar por sí solo. Esta operación no es infalible, por este motivo las copias siguen siendo obligatorias.*

- **Configurar copia de seguridad**. *Es la que realmente hará una copia completa de nuestros archivos.*

    1. *Desde PANEL DE CONTROL, CONFIGURAR COPIAS DE SEGURIDAD, se abre una ventana con diferentes opciones.*

    2. *Hacemos clic en CONFIGURAR COPIA DE SEGURIDAD y nos muestra las opciones. Seleccionamos nuestro disco externo y pulsamos ACEPTAR.*

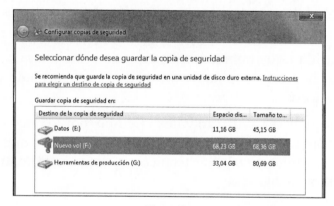

Figura 181

    3. *En la siguiente ventana nos preguntamos si queremos que Windows haga una copia automática o que nosotros mismos escojamos los archivos. Elegimos la segunda opción y pulsamos SIGUIENTE.*

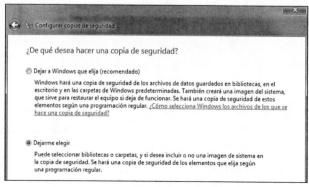

Figura 182

198

4. *Seleccionamos la unidad (E: en nuestro caso) marcando la casilla y al mismo tiempo desmarcamos la casilla inferior con la opción INCLUIR UNA IMAGEN DE LAS UNIDADES DE WINDOWS (C:).*

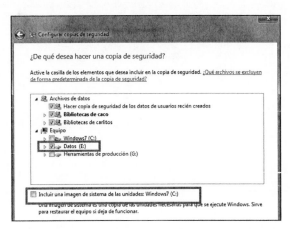

Figura 183

5. *Se abre una ventana con las configuraciones establecidas para su revisión. Fijémonos que ahora el sistema está programado para efectuar copias **cada domingo a las 19:00**. Pulsamos GUARDAR CONFIGURACIÓN Y EJECUTAR COPIA DE SEGURIDAD.*

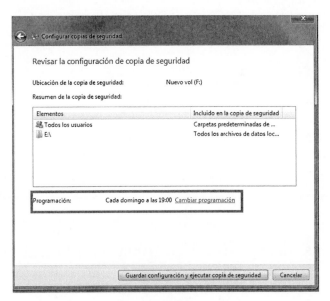

Figura 184

6. *La copia se inicia; dependiendo del tamaño de la copia, puede tardar desde algunos minutos hasta horas. Desde el botón VER DETALLES podemos detener la copia.*

199

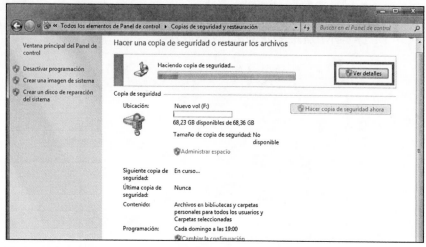

Figura 185

7.   *Finalizada la copia, el sistema resume la acción. En la pantalla siguiente podemos ver el tamaño de la copia, cuándo se realizó la última, cuándo será la siguiente copia, etc. Desde aquí también podemos restaurar la copia si lo deseamos.*

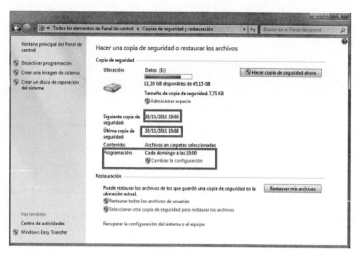

Figura 186

7.11.4 Copias de seguridad en línea o en la nube

Otra opción de copia de seguridad muy interesante es el *backup* en línea; esto nos permite salvaguardar nuestras copias fuera de nuestro sistema informático y lo que es aún más importante, fuera de nuestro entorno físico (casa u oficina). Eso añade seguridad e impide la pérdida por un accidente, incendio, robo, etc. que pueda ocurrir en nuestras dependencias.

Existen muchos proveedores de este servicio en el mercado. Casi todos son de pago, pero la mayoría te permite utilizar su servicio gratuito con una capacidad de almacenaje limitado normalmente a un 1 GB (que no está del todo mal para una pequeña empresa, autónomo o un usuario doméstico). Veremos el caso de *Dropbox,* que nos permite guardar hasta 1 GB en una carpeta remota. La ventaja de este proveedor es que la carpeta allí almacenada la podemos ver como si de otra carpeta más de las nuestras se tratara y además compartirla con cualquier usuario al que previamente le hayamos dado permiso, invitándolo a través de un correo electrónico.

La imagen siguiente muestra nuestra carpeta creada en algún servidor remoto de *Dropbox* (puede estar en cualquier lugar del mundo) y la vemos como si estuviera en nuestro disco duro.

Figura 187

Esta edición se terminó de imprimir en **enero** *de* **2014.** *Publicada por*
ALFAOMEGA GRUPO EDITOR, S.A. de C.V. *Pitagoras No. 1139*
Col. Del Valle, Benito Juárez, C.P. 03311, México, D.F.
La impresión y encuadernación se realizó en
CARGRAPHICS, S.A. de C.V. *Calle Aztecas No.27*
Col. Santa Cruz Acatlán, Naucalpan, Estado de México, C.P. 53150. México